Al 480.-

D0581930

POB ERPE MERE

Het meisje in het geel

Noëlle Châtelet

Het meisje in het geel

Uit het Frans vertaald door Théo Buckinx

Gemeentelijke Openbare Bibliotheek
Erpe - Mere
Oudenaardsesteenweg 458
9420   ERPE - MERE

UITGEVERIJ DE GEUS

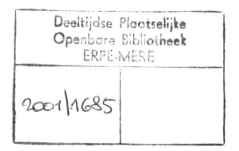

Deeltijdse Plaatselijke
Openbare Bibliotheek
ERPE-MERE

2001/1685

Gepubliceerd met steun van het Franse ministerie van Buitenlandse
Zaken, het Institut Français des Pays-Bas/Maison Descartes en
de Banque Nationale de Paris

Oorspronkelijke titel *La petite aux tournesols*, verschenen bij Stock
Oorspronkelijke tekst © Éditions Stock, 1999
Nederlandse vertaling © Théo Buckinx en Uitgeverij De Geus bv, Breda 2001
Omslagontwerp Studio Jan de Boer BNO
Omslagillustratie © The picturebox / Stock Image
Foto auteur © Irmeli Jung
Lithografie TwinType, Breda
Druk Koninklijke Wöhrmann bv, Zutphen
ISBN 90 5226 929 7
NUGI 301

Niets uit deze uitgave mag verveelvoudigd en/of openbaar gemaakt worden
door middel van druk, fotokopie, microfilm of op welke wijze dan ook,
zonder voorafgaande schriftelijke toestemming van Uitgeverij De Geus bv,
Postbus 1878, 4801 BW Breda, Nederland. Telefoon: 076 522 8151.
Internet: www.degeus.nl

Verspreiding in België via Libridis nv, Industriepark-Noord 5a,
9100 Sint-Niklaas

Het meisje in het geel

Mathilde zit in de trein.

Met haar voorhoofd tegen het raampje gedrukt probeert ze met een rond mondje het glas te bewasemen. Haar warme adem verdampt tegen het raam, waarachter nog steeds groene uitgestrektheden aan haar voorbijtrekken.

Al dat groen is verbijsterend.

Het is niet haar opvatting van de zomer, het is een reis die niet de oceaan als einddoel heeft met overal zand, op sandaaltjes rondlopen en knapperige donuts eten.

Het is niet haar opvatting van de grote vakantie, het is een vakantie zonder krabben op de bodem van waterkuilen en zonder vlinderende vliegers aan de horizon van de hemel.

Soms, tussen twee wasemkringetjes door, wekt het stralende geel van boterbloemen enige valse hoop. Boterbloemen vind je in het noorden, de juf heeft het gezegd.

Ze kijkt uit naar zonnebloemen, de zonnebloemen van het zuiden.

Het schijnt dat je vanuit het huis tussen de wijnvelden en abriko-zenbomen kunt zien hoe ze van de morgen tot de avond in hun bloementaal praten met de zon.

Afwachten natuurlijk, net als trouwens al die andere beloften, want ze kent haar moeder en haar neiging alles mooier voor te stellen en zelfs onzin te vertellen, bijvoorbeeld dat je je op het platteland veel beter amuseert dan aan zee, dat een rivier, waar het wemelt van het gras en het slib, uitstekend geschikt is om in te zwemmen en dat Bénédicte, het dochtertje van Christiane, mama's vriendin, met wie ze samen het huis heeft gehuurd, heel erg is veranderd, dat ze een ideaal speelkameraadje is geworden en normaal eet. En dat alles om haar voor deze vakantie te winnen.

Afwachten…

'Ga niet met je gezicht tegen dat smerige raam zitten, Mathilde!'

Mathilde draait zich om. Hoe moet ze uitleggen dat zonnebloemen een beetje warmte nodig hebben en dat zij op haar manier daaraan wil bijdragen, in deze trein, die haar te midden van al dat groen wanhopig maakt?

'Zit je te pruilen?'

Mathilde kijkt naar de mond, de mond van Céline, haar moeder. Een mond die valse beloften doet, maar ook welgemeende kussen geeft.

Het is niet de mond van iemand die boos is. Het is een mond die afhangt, een droevige mond.

Mathilde is op haar hoede. Haar moeder mist het zand, de krabben, de donuts en de vliegers misschien ook wel.

En het klopt dat 'hij' verleden jaar is gekomen. Ook al ging het er soms stormachtiger aan toe dan bij een springvloed, ook al maakten de dichtgeslagen deuren meer lawaai dan de hijstouwen die tegen de zeilen van de boten sloegen, 'hij' wás er.

Misschien mist ze 'hem' wel. Zelf mist ze 'hem' ook wel een beetje…

'Nee, ik pruil niet, ik heb het koud', antwoordt Mathilde, die tegen haar moeder aan gaat zitten.

Liefkozingen. Liefkozingen tegen de kou.

Ze kruipt met haar hoofd onder haar moeders arm door, met haar wang tegen de zijdeachtige stof van haar hemdbloes. Ze doet haar ogen dicht. Ze laat haar begaan.

Niets is zo goed om het warm te krijgen. En bovendien is er die geur, want Célines geur op die plek is met niets te vergelijken.

Het denderen van de trein doet Mathilde denken aan de trein waarmee oma met Félix, haar verloofde, naar Sevilla is vertrokken. Mathilde vertrekt ook, maar dat is niet hetzelfde. Haar grootmoeder heeft het geluk dat ze Félix heeft, dat ze een verre reis maakt met haar verloofde…

'Weet je, mama, Bénédicte blijft mijn vriendinnetje, ook als ze over het eten zeurt. Christiane is ook nog steeds jouw beste vriendin, of niet?'

'Ja, ik mag haar erg graag. We zullen het goed hebben met ons viertjes. Vrouwen onder elkaar. Wacht maar!' zegt de mond wat minder bedroefd.

Vrouwen. Dat woord komt Mathilde heel vreemd voor.

Een vrouw is als een meisje, maar ze heeft iets meer, iets wat zo mysterieus en zo verleidelijk is dat de meisjes aan de deuren luisteren en door het sleutelgat van de badkamerdeur gluren.

Het predikaat 'vrouw' dat haar moeder haar toekent komt haar niet alleen vreemd voor, het is ook verwarmend, veel meer nog dan de zijdeachtige, geparfumeerde arm boven haar hoofd. Een warmte waardoor je groeit, waardoor de zonnebloemen groeien.

Ze stelt zich voor hoe de lippenstift van hand tot hand gaat, hoe ze kleren aanpassen en jurken ruilen. Een groepje samenzweersters dat lacht en onder één hoedje speelt, moeders en dochters die met elkaar bevriend zijn ter wille van het grote spel, het boeiendste van allemaal: vrouw zijn.

Mathilde glimlacht in haar geparfumeerde schuilhoekje. Ze glimlacht om deze toezegging, waardoor alles heel anders zou kunnen worden, waardoor de kinderjaren met zand, krabben, vliegers en beignets, zelfs donuts, in het vergeetboek zouden kunnen raken.

Een liefkozing om in te slapen...

Mathildes hoofd zakt af naar Célines buik. Een hoofd dat nog niet helemaal de schemertoestand is vergeten.

Met opgetrokken knieën en gesloten knuisten tegen haar moeder aan gevlijd, even rustig daarbuiten als vroeger daarbinnen, heeft Mathilde, alvorens in te slapen, de tijd te bedenken dat het niet anders kan of deze opperste belofte wordt nagekomen…

Achter het raampje van de voortsnellende trein trekt het groen zich terug en wint het geel het.

Mathilde weet niet meer hoe ze van het zachte geluid van de rijdende trein is terechtgekomen in dit snerpende gesjirp dat haar door merg en been gaat. Nauwelijks heeft ze gevoeld hoe ze onder een voor haar merkwaardig met sterren bezaaide hemel werd opgetild en vervolgens tussen vreemde lakens werd gelegd, of ze staat slaapdronken, in een broekje en met in elke hand een sandaal, in een vreemde deuropening.

Stomverbaasd staat ze met haar ogen te knipperen tegenover iemand die op haar moeder lijkt en die haar, gezeten onder een parasol, met een glimlach op zich ziet toekomen.

'Jeetje, wat heb jíj geslapen!'

Het is inderdaad haar moeder.

Mathilde loopt wankelend over het terras. De plavuizen branden onder haar voeten.

'Wat is dat voor een geluid, mama?'

'Dat zijn cicaden, liefje!'

Cicaden. Daarvan heeft ze ook op school gehoord. Grote insecten die niet steken en die hun tijd doorbrengen door in de bomen luidruchtig hun achterpoten langs elkaar te wrijven als ze blij zijn dat de zon schijnt.

Mathilde gaat onder de parasol zitten. Haar ogen raken gewend aan het licht. Ze ontdekt het huis. Nog niet zo lang geleden heeft ze zich een huis voorgesteld als dit, met rozeachtige stenen, klimplanten, helblauwe luiken en aan beide kanten hoge bomen waarvan ze de naam niet kende.

Ze herinnert het zich, want ze heeft het getekend en aan oma in Spanje gestuurd toen ze vernam dat ze dit jaar naar het platteland in het zuiden zouden gaan, niet zozeer omdat ze enthousiast was, maar om zichzelf de moed te geven een zomer zonder de zee tegemoet te zien.

'Vind je niet dat het huis lijkt op het huis dat ik voor oma heb getekend?'

'Ja? Nee, dat vind ik niet.'

Mathilde zucht: moeders vinden nooit hetzelfde. Toch is het beslist hetzelfde huis.

'Wil je wat eten?'

'Nee, ik heb geen trek.'

'Zelfs niet in een lekker warme abrikoos?'

Mathildes blonde krullen zijn duidelijk: het is nee. Wat is dat trouwens: een 'lekker warme abrikoos'? Lekker warm zeg je van croissantjes of chocoladebroodjes!

Céline fronst haar wenkbrauwen. Ze heeft waarschijnlijk niet vaak meegemaakt dat haar schrokkerige kind een ontbijt afwees. Ze spreidt haar armen naar haar uit.

Mathilde klautert op haar schoot. Een liefkozing om wakker te worden. De ochtendlijke liefkozingen. Half pruilend, half loom…

Célines blote arm ruikt anders.

Aan de voet van de tafel met parasol is een reuzenmier, gebogen onder een last die groter is dan hijzelf, heel druk in de weer.

Het ononderbroken gonzen en zoemen van allerlei insecten in de bloeiende struiken rondom het terras spreekt boekdelen over de levendigheid van de natuur.

De geestdrift van de cicaden is aandoenlijk.

Iedereen wil hier iets. Mathilde wil niets.

'Wanneer komt Bénédicte, mama?'

'Morgen. Morgenavond.'

'Morgen…' Ze was al bang voor dat antwoord. Ze weet niet precies wat het inhoudt, in elk geval niet vandaag. En wat niet vandaag is, ligt zo ver weg dat het zelfs niet de moeite waard is eraan te denken. Het is zoiets als 'we zien wel'. Even deprimerend. Eer het morgen is kun je wel de verschrikkelijkste dood sterven: de dood uit verveling.

Dat is meer dan eens gebeurd.

'Waar ruikt je arm naar?'

'Naar lavendel. Kom 'ns kijken. Trek je sandalen aan.'

Mathilde maakt zuchtend en steunend de bandjes vast om goed te laten uitkomen welke inspanning ze zich getroost, zij die nergens om heeft gevraagd. Het is waar ook, ze heeft er niet aan gedacht lavendel te tekenen bij haar huis voor oma!

'Kan ik zo meekomen?'

Mathilde wijst naar haar rozegeruite broekje.

'Natuurlijk! We zijn hier thuis. Zelfs in de boomgaard.'

Hand in hand lopen ze naar de tuin.

Ondanks haar humeurigheid moet Mathilde toegeven dat die niet onaantrekkelijk is. Een heleboel paadjes die naar evenveel verrassingen leiden: een fontein van steen met een waterbekken, tomatenplanten waarvan sommige rijpe vruchten dragen, een hut van bamboe met gieters, harken, schoppen, trapjes, een leeg konijnenhok, een kruiwagen die het nog doet, een ijzeren tafeltje met twee geroeste leunstoelen en, vooral, een houten schommel die op haar lijkt te wachten, met gevlochten koorden vastgemaakt aan de tak van een vermolmde majesteitelijke boom waarvan Céline zegt dat het een ceder is, een 'echte ceder van de Libanon'.

Mathilde voelt dat haar humeur er stukken op vooruitgaat.

De tuin heeft iets beloftevols. Niet te vergelijken met de gebruikelijke beloften van thuis, op school of van mama, voor wie beloven een vorm van samenwonen, van samenleven is geworden. De tuin houdt geen speciale belofte in, hij belooft alles. Hij houdt ongeformuleerde verwachtingen, onuitgesproken neigingen, verborgen verlangens in omdat ze geen vaste vorm hebben, onzeker zijn, net als de kleine deeltjes, de witachtige, transparante vlokken die, bloem noch dier, op meiavonden in Parijs onder de kastanjebomen dwarrelen en die Mathilde voor sneeuw aanziet, al voelt ze vaag dat het voorjaar hun een taak heeft opgelegd, dat ze voorzien in een behoefte van de natuur.

Staande in de tuin, die zich voor haar openstelt, heeft Mathilde het eveneens vage gevoel dat ze met hem een gemeenschappelijke toekomst tegemoet gaat, dat ze door een soort voorteken met hem verbonden is, misschien door een taak, een behoefte waarin de natuur ook deze keer een woordje heeft mee te spreken…

Door Célines stem wordt ze uit haar overpeinzingen gewekt: 'Kom, ik wil je nog iets anders laten zien.'

Achter in de tuin komen de paden allemaal bij hetzelfde punt uit. Bij een poortje dat ze maar hoeven open te duwen.

Daar duizelt het Mathilde.

Het duizelt haar niet vanwege het hoogteverschil: het landschap ligt maar heel weinig lager dan de tuin. Het duizelt haar vanwege de kleur: duizenden zonnebloemen staren haar aan.

Haar geheugen van een klein meisje mag dan nog zo snel werken en haar in een oogwenk doen denken aan alle potjes, tubes, kleurenpaletten en penselen die bij haar opkomen, ze kan zich niet herinneren een zo geel geel te hebben gezien als dat van al die koppen die naar haar toe staan gekeerd.

Schitterend. Ze staat versteld van bewondering, van verbazing.

Verblindend. Ze is verblind door die onverwachte overdaad. Dat teveel. Te veel voor haar ogen, misschien ook te veel om te kunnen bevatten.

Céline heeft waarschijnlijk die lichte duizeling gemerkt waardoor het kind-zijn heen en weer wordt geslingerd.

Met haar linkerhand houdt Mathilde zich overeind, ze houdt zich vast aan de hand van haar moeder, haar vangrail, haar geliefde balustrade.

Een belofte die is nagekomen.

'Zie je wel? Dat van die zonnebloemen was niet gelogen!'

De blonde krullen zijn overduidelijk: inderdaad. Maar haar moeder heeft haar niet verteld dat de zonnebloemen zich in hun bloementaal niet alleen tot de zon richten. Ze lijken zich ook met kleine meisjes te willen onderhouden. De naar haar geheven hoofden zijn als een toonloze stem, een vreemd verzoek dat zonder woorden roept.

Mathilde houdt haar rechterhand, een zeer geïmponeerde hand, boven haar ogen om zich te beschermen tegen het zo felle, schelle licht.

Op dat moment ontdekt ze aan de overzijde van het veld een bescheiden bouwwerk dat onder een okerkleurig dak verscholen ligt.

'Is er nog een ander huis?'

'Ja, de boerderij. Vanavond gaan we erheen om eieren en verse geitenkaas te kopen.'

Mathilde glimlacht nu pas echt. Zonder te weten waarom bevalt die boerderij met het vooruitzicht van de geiten haar, heel erg zelfs, al weet ze niet zeker of ze ooit geiten heeft gezien, in elk geval niet aan zee, waar ze eerder op dagen dat er niet mocht worden gezwommen in de koppen van de golven schapen zag.

Ze kunnen een andere terugweg naar huis nemen die om de tuin heen door een abrikozenboomgaard gaat.

Bij het plukken van haar eerste abrikoos moet Mathilde moeite doen om niet te huiveren van plezier. De fluwelige schil is inderdaad heel warm in haar hand, en het lauwe, dikke vruchtensap loopt over haar kin. Maar het meest verwarrend is nog het gevoel dat ze, door deze zoete schat aan de boom te ontrukken, iets doet waarin het verbodene is toegestaan.

Ze zou niet kunnen zeggen waarom dit gebaar onder de stralende en medeplichtige blik van haar moeder meer indruk op haar maakt dan wanneer ze haar lippenstift zou hebben gebruikt.

Moeder en dochter laten zich samen neervallen op de divan in de grote, gewelfde kamer met de gewitte muren. Dankzij de gesloten luiken en de plavuizen is het er heerlijk koel.

Mathilde vat de onwaarschijnlijke bedrijvigheid van deze eerste dag samen. Als ze vandaag ergens aan had kunnen sterven – een wespensteek, een val van de schommel, een bedorven maag ten gevolge van de vele abrikozen of een andere ramp – dan toch zeker niet van verveling, dat geeft ze toe.

Nooit was haar eerste vakantiedag beter besteed.

Andere jaren, in het huis aan zee, was het niet nodig de plek in bezit te nemen. Als de neefjes, tantes en vrienden hun overigens volkomen toereikende hoekje toegewezen hadden gekregen dat wat de kinderen betreft vaak beperkt bleef tot een matras en een douche die ze moesten delen, bestond het landgoed uit het strand, dat vaak bitter werd bevochten vanwege de getijden, de zon, de plaats van de uitspanning en de uren dat de verkoper van donuts langskwam.

Hier bestaat de weelde uit de ruimte en de indeling van het territorium.

Natuurlijk zullen de twee kleintjes een kamer delen. Maar wat voor een kamer! Bijna hemelbedden, bedden voor een prinses met hun grote, witte, doorzichtige gordijnen tegen de muggen, een secretaire, een bureau, een badkamer met twee wastafels, afgezien nog van de rieten hutkoffer, een zeer originele fauteuil met twee zitplaatsen met de ruggen naar elkaar toe voor als je boos bent, en afzonderlijke commodes voor de kleren.

Mathilde heeft beslag gelegd op het bed bij het raam en, vanwege de laden die met een sleutel kunnen worden afgesloten, de secretaire; daarna heeft ze uren doorgebracht met het opbergen van haar potloden, waterverf en andere kostbare spullen en het opstellen van een lijst, in hanenpoten die zij alleen kan lezen, want schrijven kan ze nog niet goed; daarna heeft ze haar handen gewassen, haar tanden gepoetst en haar haar geborsteld om bezit te nemen van haar wastafel: die bij het raam, vanwaar ze, net als vanuit haar bed, de tuin kan zien.

Vervolgens hebben moeder en dochter elkaar uitgenodigd om te komen kijken hoe ze waren ingericht.

Céline heeft een kamer voor zich alleen. Overdag is een eigen kamer wel prettig, maar niet 's nachts, als er vreemde gedaanten langs het plafond trekken en de wind tussen de luiken huilt. De enige schaduwzijde is dat haar moeders badkamer Mathilde duidelijk heeft gemaakt dat zijzelf geen parfum heeft, maar Céline heeft haar algauw een flesje lavendelwater beloofd dat erg goed van pas komt, temeer daar beloften tegenwoordig tamelijk goed worden nagekomen…

Onderuitgezakt dus genieten ze allebei van een glas pepermuntlimonade, tenslotte heel wat voornamer dan cola, met een echt rietje dat naar koren smaakt en dat Mathilde in de keukenkast heeft opgeduikeld.

Alweer dat heerlijke gevoel iets te delen, onder één hoedje te spelen. Alweer dat gevoel één te zijn.

Céline lijkt haar beslissende, voorschrijvende, bevelende toon te hebben opgegeven. Sinds vanmorgen, sinds ze abrikozen hebben geplukt, praat ze minder uit de hoogte. De woorden vallen niet meer neer. Niemand staat boven de ander. Mathilde vindt dat te gek. Ze ziet haar moeder anders, of beter gezegd: ze ziet zichzelf anders. In waarde gestegen, even gemakkelijk opgekrikt als de pianokruk in Parijs. Tot en met de gezamenlijk genoten pepermuntlimonade op een tijdstip waarop haar moeder haar haar vieruurtje geeft, een woord waarvan ze ondanks alles houdt – hoe zou ze niet kunnen houden van een woord dat staat voor boterhammen, appelflappen of zelfgemaakte evenveeltjes? – maar dat haar irriteert als het wordt gebruikt om zich van de kinderen af te maken of om duidelijk het verschil met de volwassenen aan te geven, ook als diezelfde zo welwillend neerbuigende moeder ten slotte toch een stukje van het evenveeltje meepikt, zogenaamd om te zien of het goed is gelukt. Eigenlijk geeft Mathilde de voorkeur aan het vieruurtje bij oma, omdat iedereen zonder onderscheid van de chocoladecake eet en haar moeder bij haar eigen moeder ook op een klein meisje lijkt.

'Als we het pakje biscuitjes eens opmaakten', zegt de vrouw die vandaag minder uit de hoogte spreekt.

Dat 'we' is prettig om te horen, prettiger dan de telefoon, die een uitstel van de uitvoering van dit sympathieke en gezellige initiatief betekent.

Céline neemt op.

Aan het gezicht van haar moeder ziet Mathilde meteen dat 'hij' het is. Haar stem klinkt als de deuren die verleden zomer werden dichtgeslagen.

'Alles verloopt uitstekend! Een schitterend huis! Prachtig weer! We zitten hier fantastisch goed!'

Het loflied regent neer als oorvijgen, als trappen tegen de schenen. Stel je voor dat het niet goed zou gaan omdat 'hij' er niet bij is!

Persoonlijk vindt Mathilde dat het met 'hem' niet slechter zou gaan, maar ze heeft geleerd zich op de achtergrond te houden.

'Wil je je dochter nog spreken?'

Een vaste formulering. Ter afsluiting. Het doek zakt, maar zonder applaus.

Mathilde neemt de hoorn over. Ze vertelt van de prinsessenbedden, de schommel, de warme abrikozen, de rare fauteuil, maar ook van de geiten die ze zal zien en de verse geitenkaas.

Als ze over het flesje lavendelwater begint, werpt ze een slimme blik op Céline: je weet maar nooit, het is altijd goed een getuige te hebben. Alvorens op te hangen vraagt ze niet of hij binnenkort komt, maar ze denkt het zo sterk dat het te horen moet zijn op de plek vanwaar hij opbelt.

Na het telefoongesprek laat Céline haar onderlip hangen.

Het wordt de hoogste tijd voor de biscuitjes en het aanhalige vieruurtje, waarbij ze in kleermakerszit tussen haar moeders benen zit, met het hoofd tegen een van haar knieën, die allebei volmaakt rond zijn.

Terwijl ze aan haar biscuitjes knabbelt, beginnend bij de hoeken, die daarvoor natuurlijk zijn gemaakt, schiet Mathilde te binnen dat ze er niet aan heeft gedacht over de zonnebloemen te spreken.

Is ze het vergeten of wilde ze niet?

De duizelingwekkende schoonheid en de verbluffende taal van de bloemen zijn geen dingen waarover je kunt vertellen, zeker niet aan een man, zelfs niet aan de man die haar, Mathilde, heeft verwekt, mogelijk zelfs om die bloemen ooit te beleven.

Boven haar hoofd knabbelt haar moeder met hetzelfde guitige muizengeluidje aan haar biscuitjes.

'Begin jij ook bij de hoeken, mama?'

'Allicht.'

Goed, er zijn dus situaties waarin een meisje en een vrouw een beetje op elkaar lijken.

Buiten sjirpen de cicaden er vrolijk op los, de telefoon heeft hen in het geheel niet gestoord, terwijl binnen de koelte niet alleen meer te danken is aan de plavuizen en de gesloten luiken.

Het kost Mathilde veel moeite de verkoeling te boven te komen die zich van haar moeder meester maakt als haar vader als een koude luchtstroom binnenvalt. Geen omslagdoek, geen trui is daartegen bestand.

Op zulke ogenblikken neemt Mathilde zich altijd voor minder te pruilen, om haar te helpen, maar dat is een offer. Pruilen, zuur kijken schenkt haar een zekere bevrediging, vooral als het zonder reden gebeurt, want als dat wél het geval is, is het niet enkel pruilen, dan is het ontevredenheid, en dat is niet hetzelfde. Daarvoor heb je andere gelegenheden. Als ze niet pruilt nu ze klein is, zal ze nooit meer pruilen, dat weet ze heel goed. Het is toch een van de voordelen van klein te zijn!

Het zou dus niet onprettig zijn te pruilen terwijl ze haar biscuitjes eet, maar dat kan ze zich niet veroorloven: ze moet dus naar een afleiding zoeken, en gauw ook.

'Als we eens naar de boerderij gingen om naar de geiten te kijken?'

Geen antwoord. Célines knie lijkt van steen, zonder leven, zonder verlangen om iets te beleven.

'Gaan we naar de boerderij, mama?' dringt Mathilde aan, want drenzen is een van de dingen die ze goed kan, het is ook iets waardoor ze zich afhankelijk van de situatie kan vervolmaken, zich kan bijschaven.

Deze keer is het een zeer dringend aandringen. Een boei, een reddingssloep voor een moeder die in de zee van de verbittering dreigt onder te gaan.

'Ja, ja… We gaan… Goed idee…'

De reddende engel springt met het laatste biscuitje in de mond overeind en trekt Céline luidkeels lachend van de divan. De schipbreuk is voorkomen…

Mathilde besluit zich om te kleden. Ze wil haar nieuwe jurkje aantrekken dat ze de dag voor hun vertrek hebben gekocht, het jurkje met de gele stippen en de ruches aan de mouwen.

Haar moeder vindt dat dat overdreven is nu ze naar een boerderij gaan, maar ze dringt niet aan. In dat soort dingen is ze betrekkelijk toegeeflijk, ongetwijfeld omdat zijzelf ook haar grillen heeft waar het om kleren gaat…

'Fantastisch!' zegt Céline vol bewondering, als ze haar dochtertje van het hoofd tot de voeten opgedoft ziet. 'Gaan we benedenlangs of bovenlangs?'

'Wat is dat, bovenlangs?'

'Dat is de weg van de zonnebloemen. Een pad langs het veld met zonnebloemen dat precies bij de boerderij uitkomt.'

'Nou, dan gaan we bovenlangs.'

Moeder en dochter glimlachen veelbetekenend.

Terwijl ze over de weg lopen waar hun nog andere verrassingen wachten dan 's ochtends, bijvoorbeeld het kleine houten hok met een oude, geroeste ketting, vraagt Mathilde zich af of de zonnebloemen nog steeds op haar wachten en of ze met haar zullen praten.

Zodra ze door het hek zijn krijgt ze het antwoord: de bloemen, alle bloemen staan met de rug naar haar toe. Ze staren overduidelijk naar een punt in de verte, aan de horizon. Wat nu! Er is er niet één die haar een teken geeft! Zelfs niet om haar onopvallend te groeten! Ze staat versteld. Ze zou bijna spijt hebben van de moeite die ze zich heeft getroost om zich mooi te maken, van het jurkje met de gele stippen die het gesprek met de bloemen moesten vergemakkelijken, een gesprek waarvan ze goed begrijpt dat het in gevaar komt.

Mathilde dringt nooit aan als ze inziet dat ze ernstig is bedrogen. Ze verstaat de kunst bij een duidelijke nederlaag haar eisen lager te stellen. Dan zijn waardigheid en zelfs een zekere laatdunkendheid geboden…

Zonder een woord te zeggen neemt Mathilde de hand van haar moeder om de weg tussen de beloftevolle wijnstokken en de trouweloze zonnebloemen naar de boerderij af te dalen.

Voordat ze aankomen werpt ze toch een blik op de ruches aan haar mouwen, op de manier waarop haar jurkje op haar knieën valt, op haar witte schoenen.

'Je bent heel erg mooi, liefje. Beeldschoon.'

Het beeldschone meisje komt stralend bij de boerderij aan. De zon verdwijnt achter de heuvels.

Het is moeilijk zich voor te stellen dat een nauwelijks zesjarig meisje, bijna zonder verleden, het gevoel heeft niets nieuws te zien, alles al te hebben beleefd. Mathilde kent deze boerderij. Ze staat al in haar geheugen gegrift.

Het is een dwaasheid te denken dat zij ze kent en herkent om de betekenis die ze zal krijgen. De boerderij maakt al deel uit van haar toekomst.

Mathilde beschikt nog niet over de woordenschat om dit vreemde gevoel tot uitdrukking te brengen. Later zal ze spreken van een voorgevoel…

Meneer en mevrouw Fougerolles, die ze vanwege haar jurkje met stippen bij de ingang van de melkstal met een lichte buiging gaat begroeten, heeft ze ook al eerder gezien: hem met zijn gedoofde pijp in de mond en zijn vriendelijke spotogen die haar een beetje doen denken aan Félix, de verloofde van oma, maar dan minder oud; haar met dat barse, dat te wijten is aan het feit dat ze erg veel werk heeft, aan haar corpulentie en aan haar rode handen vol wondjes, die desondanks bereid zijn om behulpzaam te zijn, om mensen en dieren, die ze slechts voor de vorm grof bejegent, op te beuren.

Céline lijkt verrast als ze ziet hoe Mathilde na de begroeting als op een bekend terrein, zonder te aarzelen, van de koeien naar de geiten, van de stallen naar de groentetuin holt alsof ze iets zoekt.

Ja, ze zoekt inderdaad iets.

Als ze buiten adem en met haar haren in de war terugkomt, hoort ze hoe haar moeder zich verontschuldigt: 'Ze is een beetje een schelm…'

Het klopt dat ze een beetje een schelm is.

Maar mevrouw Fougerolles en haar man schijnt dit niet te deren.

'Dat geeft helemaal niet! Dat zijn we gewend met de geiten, vooral nu, met die kleine schalk!'

Waarop ze alle drie beginnen te fluisteren.

Geïrriteerd door dat gesmoes, waarvan ze is buitengesloten, ziet Mathilde, die zich afvraagt wat een kleine schalk is, ervan af de vraag te stellen waarvoor ze gekomen is.

Zonder verder nog acht te slaan op haar jurkje, waarvan de ceintuur is losgeraakt, holt ze naar het achterste gedeelte van de schuur.

Daar zijn ze eindelijk, de witte geiten. Witter dan haar schoenen, witter dan de muskietentule rondom haar prinsessenbed.

Het wit van een geit is in het wit wat het geel van de zonnebloem in het geel is. Je kunt het alleen maar bewonderen. Met de ogen op-zuigen tot je verblind raakt, tot je duizelig wordt.

Niet een van de geiten is bij Mathildes komst van haar plaats ge-komen. Net als de zonnebloemen vanmorgen hebben ze slechts hun koppen naar haar toe gekeerd, zonder op te houden met kau-wen, met herkauwen, dat weet Mathilde, maar ze kent misschien ook woorden en gedachten die in hun sikken blijven hangen. Het overkomt Mathilde ook wel eens woorden en gedachten te herkau-wen. Dat is heel nuttig op dagen dat ze blijft pruilen.

Toch ziet Mathilde in de blikken van de geiten meer menselijks dan in die van de zonnebloemen. Ze hebben ook meer uitdruk-king, en zelfs een zekere sympathie voor haar. Geiten zijn lief.

Mathilde blijft onbeweeglijk staan. Dolgelukkig. Ze past zich aan. Ze geniet in volle ernst van al dat levende wit.

Ze zou het helemaal niet erg vinden als ze zelf een geit was.

Dan wordt het stil. Ineens, onverwachts, bijna abnormaal. Een grote leegte in het landschap: de cicaden zwijgen allemaal tegelijk.

Het is waarschijnlijk deze ontmoeting tussen de onbeweeglijk-heid en de stilte die Mathilde gevoelig maakt voor een andere blik dan die van de geiten.

Dichtbij, heel dichtbij wordt ze door twee ogen aangestaard.

Vandaag blijft ze beslist niet onopgemerkt. Het lijkt wel alsof er overal op haar wordt gewacht. Overal wordt er naar haar uitge-zien. Maar door deze onzichtbare ogen, die aan niemand toebeho-ren, blijft ze als versteend staan.

Het is voor haar niet nieuw dat er naar haar wordt gekeken op een manier waardoor ze verstart. Vaak hebben de ogen van de nacht dezelfde uitwerking op haar, als ze in het slapende, doodstille huis wakker wordt en de angst haar verlamt...

Maar door wat haar nu aanstaart raakt ze niet echt verlamd, wordt ze niet werkelijk bang. Ze wordt trouwens eerder bekeken dan bespied. De twee onzichtbare ogen verplaatsen zich over haar lichaam, van haar nek onder de blonde krullen tot haar enkels, van haar knieholten tot haar oksels.

Ze wordt gemeten, gemonsterd, getaxeerd. Met een passer, een driehoek, een liniaal. Calqueerpapier, carbonpapier, millimeterpapier.

Mathilde, die besloten heeft schilder te worden, net als Félix, de verloofde van oma, kent de duizend en een manieren om een model te schetsen, het zich eigen te maken, dat woord heeft ze trouwens van Félix geleerd, maar nu pas brengt ze het in verband met eten: ze voelt zich gewoon door de blik opgegeten, van het hoofd tot de voeten verslonden.

Het idee van een wolf komt bij haar op, misschien door de aanwezigheid van de zo lieve geiten, misschien omdat de ogen die haar zonder de minste pijn – noch in haar nek noch aan haar enkels, noch aan haar knieën noch aan haar armen – met genoegen verorberen, zo merkwaardig glanzen, hoewel ze onzichtbaar zijn.

Als het inderdaad een wolf is die zich in het hoofd heeft gezet haar vreedzaam te verslinden, zonder haar pijn te doen, zonder bloed te doen vloeien, mag hij uit het bos te voorschijn komen.

'Hé, wie ben jij? Hoe heet je?'

De wolf heeft dus een stem. Een zangerige stem.

Mathilde draait zich om naar de wolf, naar de stem.

Gezeten op een oude tractor barst een jongen in lachen uit. Hij is nauwelijks ouder dan zij, hij is gekleed in een te groot matrozenpakje waar vier ledematen tussen vuil bruin en de kleur van ontbijtkoek uitsteken en heeft een bruine, ruige haardos.

'Daar schrok je, hè? Nou, hoe heet je?'

Ze kijkt sprakeloos naar de bloot gelachen tanden.

Het zijn geen wolfstanden, al lijken ze tamelijk puntig, en ook niet de tanden van een jonge wolf, want in de bovenkaak, daar waar het het meeste opvalt, ontbreekt er een.

Mathilde vindt het ongelooflijk: een jongen die al zijn tanden min één bloot lacht. Ze herinnert zich hoe zijzelf zich achter een hand of zakdoek verborg toen haar melktanden uitvielen en ze zich schaamde en niet mocht lachen, ondanks het muisje dat zogenaamd kwam om het voorwerp van haar schande te ruilen tegen iets lekkers of een geldstuk – iets wat ze nooit heeft kunnen vaststellen – toen ze ook niets mocht eten, vooral geen boterhammen, vanwege het blootliggende tandvlees, toen ze niets mocht door deze eigenaardigheid van de natuur, waarvan haar ouders wel leken te houden.

Boven de mond met het gat die ze afschuwelijk zou moeten vinden maar die stralend is, zijn er dus de twee ogen, goed zichtbaar nu, glanzend als twee groene olijven in een matte huid. De ogen van de zingende wolf.

'Nee, ik schrok niet... Alleen maar een beetje.'

Mathilde strikt opnieuw haar ceintuur en vervolgt niet zonder koketterie: 'Ik heet... Nou, raad maar. Je mag raden.'

'Eh... Camille? Laurette?' zegt de jongen met een spottend lachje.

'Mis! Ik heet Mathilde.'

Hij lijkt onder de indruk. Ze is tamelijk tevreden met de uitwerking die haar naam heeft. De nog steeds zwijgende cicaden lijken het kennismakingsritueel te respecteren. En de geiten gaan weliswaar ijverig door met herkauwen, maar ze hebben zo te zien niets van kieskauwers.

Opnieuw wordt er gemeten, gemonsterd. De passer. De driehoek. De liniaal. Calqueerpapier. Carbonpapier. Millimeterpapier. Ook haar voornaam.

'Jij bent Thilde', besluit de jongen eindelijk met gezag. 'Nou, Thilde, kom je bij mij op de tractor?'

Ze aarzelt. Een tractor is geen geschikte plek voor een jurk met stippen. Geen geschikte plek voor Mathilde. Maar voor iemand die Thilde heet...

Ze heeft de indruk dat het voorstel serieus bedoeld is. Dat er een verbond op komst is. Jongens nemen plichtplegingen ernstig. Als ze kieskeurig is, volgt er geen nieuw voorstel. Je zou trouwens zeggen – ze heeft het bij haar neefjes gezien – dat ze het erom doen, dat ze een goed excuus zoeken om zich terug te trekken, alsof ze willen dat de meisjes tegelijkertijd wel en niet akkoord gaan. Als ze dus een uitvlucht verzint, is het voor altijd gedaan met de tractor en een heleboel andere dingen. Welke dingen, dat weet ze niet, maar in elk geval andere. Ze heeft nog geen woord voor die indruk. Ooit, later, zal ze spreken van intuïtie…

Mathilde heeft nog niet over al die indrukken nagedacht, nog niet de tijd genomen om te besluiten, of ze staat al op de treeplank van de tractor en wordt door de twee armen die uit het te grote matrozenpakje steken naar boven gehesen.

Ze heeft de beslissing nog niet genomen of ze zit op haar beurt op de enige metalen zitplaats tussen de twee gespreide benen, die van dichtbij in feite veel eerder doen denken aan ontbijtkoek, balancerend boven de dingen, balancerend op het randje van het onfatsoen.

Het jurkje met de gele stippen ligt gedeeltelijk uitgespreid over de dijen van de jongen, die daarom nog harder moet lachen.

Van daarboven gezien is alles erg mooi, als een carrousel die er slechts om vraagt rond te draaien maar dit niet doet, behalve in Mathildes hoofd.

Van daarboven zie je ze goed, de zonnebloemen en abrikozenbomen.

In haar hals, in haar nek voelt ze de lach kietelen die het dons van haar blonde haren opblaast.

De jongen grijpt met beide handen het stuur vast. Zij legt haar handen gevouwen op haar jurkje.

Mathilde merkt voor het eerst hoe verschillend jongens- en meisjeshanden zijn, vooral de handen van deze jongen, die haar Thilde wil noemen en wiens naam ze niet kent. Zijn vingertoppen zijn vierkanter, je kunt de botjes heel goed zien. Waarschijnlijk kan hij daardoor een tractor besturen, ook al rijdt die niet.

Al komt de tractor niet van zijn plaats, zíj zijn vertrokken, voorbij de zonnebloemen, voorbij de abrikozenbomen, over de heuvels van de Provence.

De cicaden willen niet achterblijven en beginnen opnieuw allemaal tegelijk te sjirpen. Mathilde moet schreeuwen om hun schelle geluid te overstemmen: 'En hoe heet jíj?'

'Ik? Ik heet Rémi', antwoordt hij trots.

Ze herhaalt bij zichzelf deze nieuwe naam, die is samengesteld uit twee muzieknoten die ze kent van de muziekles. Re en mi.

Ze kan begrijpen dat iemand met zo'n naam een zangerige stem heeft.

'Laat je eitje niet koud worden, Ma-Thilde!'

Ma-Thilde, mijn Thilde... Het is de eerste keer dat ze haar naam zo uit de mond van haar moeder hoort. Misschien doen ze dat hier zo: namen uit elkaar halen, net als de stukjes brood die keurig naast elkaar op de rand van haar bord liggen te wachten om in het ei te worden gesopt. Ré-mi, Ma-Thilde... Maar het verbazingwekkendste is dat Céline er zelf op is gekomen.

Het inzicht van een moeder heeft toch verrassende kanten. Dat zij haar ook háár Thilde noemt, zonder te weten dat ze een nieuwe naam heeft gekregen, is verbluffend. Het troost haar voor alle keren dat ze telkens weer om hetzelfde moet vragen zonder een ander antwoord te krijgen dan 'Zo is het wel genoeg', een antwoord dat haar niet bevredigt.

'We gaan vanavond vroeg naar bed. Goed?' zegt Céline.

Alweer een 'we' dat haar genoegen doet. Het houdt een belofte in: die van 'vrouwen onder elkaar', even heerlijk als de hoekjes van een biscuitje als er nog maar drie hoekjes zijn.

'De eieren van de boerderij zijn lekker, vind je niet?' voegt haar inderdaad scherpzinnige moeder eraan toe.

Lekker, die eieren? Wat is er niet lekker op de boerderij? Mathilde wordt overspoeld met zo veel beelden dat ze niet weet waar ze moet beginnen, vooral omdat één beeld alles overheerst en alle andere belet zich op te stellen voor de parade in haar gedachten, de grote revue van het voor de geest halen waarvan Mathilde met geen woord heeft gerept. Ze heeft niets gezegd over de ontmoeting achter de schuur, niets over de ogen van de wolf, over die ene ontbrekende tand, en nog minder over de tocht met de tractor. Ze weet nog niet of ze die geheim zal houden of erover zal vertellen.

Céline zet de kom met de verse geitenkaas op tafel.

'Ik heb de geiten gezien, weet je, mama?'

'Ja, dat weet ik.'

Mathilde kijkt haar moeder met opgetrokken wenkbrauwen aan. Het inzicht van een moeder is verbluffend, maar haar vermogen om overal tegelijk te zijn is nog ongelooflijker. Hoe vaak heeft Mathilde niet meegemaakt dat ze, opgesloten in haar kamer voor een of ander intiem ritueel, vanuit de keuken, waar Céline met iets anders bezig was, werd ontmaskerd alsof het hele huis transparant was! De juf op school beschikt ook soms over die gave, maar minder sterk.

Dat ze het weet van de geiten kan ook worden verklaard uit het feit dat Mathilde blijk heeft gegeven van haar haast om ze te zien. Maar het is de toon van dat 'dat weet ik' die haar verontrust. Je zou zeggen een 'dat weet ik' dat alles lijkt te weten. Een 'dat weet ik' dat heel goed de geiten, de wolf, de jongen met het matrozenpakje en de tractor zou kunnen omvatten. Niet dat ze zich schuldig voelt – behalve een beetje vanwege het jurkje met de stippen – maar het is een kwestie van eigendom, want tenslotte behoort dat wat Mathilde heeft beleefd háár toe, zoals het aan haar is uit te maken er al dan niet over te vertellen, erover te vertellen wanneer en hoe ze dat zelf wil en er iets aan toe te voegen of iets weg te laten. De manier waarop is belangrijk!

Het zachte eitje krijgt ze niet doorgeslikt. Bij het zien van de verse geitenkaas wordt ze misselijk.

Wat weet haar moeder, die alles weet, precies?

In elk geval weet ze het niet van de lichte ademstroom in haar nek en de vierkante vingertoppen, al heeft ze hen op de tractor gezien. Ze weet het niet van de Provence gezien van daarboven, van de sprongen boven de zonnebloemen en abrikozenbomen te midden van het sjirpen van de cicaden.

'Wat heb je toch, Mathilde?'

Wat ze heeft? Wat ze heeft, haar Thilde? Dat ze moet huilen. Dat ze zich verraden voelt. Door haar eigen moeder, die te veel weet en het te gemakkelijk zegt!

Céline zoekt verbijsterd naar iets wat haar kan afleiden. Dat is haar gebruikelijke manier van doen bij het zien van de onverklaarbare tranen van haar dochtertje, die haar overigens zo verdrietig stemmen dat Mathilde als eerste probeert ze in te slikken, natuurlijk zo goed mogelijk, want als ze niet eens meer mag huilen…

'Hé, het schijnt dat ze op de boerderij tijdens de vakantie een jongetje in huis hebben genomen!'

Mathilde wordt door deze mededeling tegengehouden. Ze kan haar tranen, die op het punt staan te gaan stromen, nog inhouden, terugdringen op de weg van het verdriet, inslikken. Het hangt ervan af. Het hangt er allemaal van af.

'Heb je 'm gezien?'

'Wie?'

'Dat jongetje. Heb je 'm gezien?'

'Nee. Ze zeiden het… Een kind van de voogdijraad, dat is alles wat ik weet. Hoezo?'

'Zomaar! Zomaar!' zegt Mathilde, die in plaats van haar tranen terug te dringen besluit er opluchting in te zoeken door luidruchtig in haar papieren servetje te snuiten.

Céline zucht terwijl ze de verse kaas op de bordjes doet.

Mathilde voelt zich als herboren nu haar geheim nog intact is en ze ook nog het recht heeft het te onthullen of er in haar eentje van te genieten en er in gedachte van te likkebaarden.

'Mag ik suiker op mijn kaas strooien?'

'Natuurlijk, lieverd.'

Moeder en dochter eten in stilte ieder hun deel van de boerderijkaas, Céline met zout, Mathilde met suiker…

'Wat is dat eigenlijk, een kind van de voogdijraad?' vraagt Mathilde als ze het laatste lepeltje even voldaan opeet alsof ze een hele geit heeft verorberd.

'Dat is een kind dat geen ouders meer heeft. Een instelling die zich bekommert om hem en andere kinderen als hij.'

'Ja?'

Mathilde ziet weer het te grote matrozenpakje voor zich. Ze vindt dat de voogdijraad ouderloze kinderen kleren zou moeten geven die passen.

Het matrozenpakje roept opnieuw een golf van beelden van de boerderij op. Ze wordt ermee geconfronteerd, en net als op het strand, als de golven te sterk waren, vraagt ze zich af of ze erin zal springen of dat ze met haar blote voeten in het schuim van de zee op de volgende golf zal wachten, zich met haar handen vastklampend aan haar blauwe reddingsgordel, heen en weer geslingerd tussen ongeduld en angst.

Er is een vraag die haar bezighoudt: hoe doen vrouwen onder elkaar dat in zo'n geval? Vertellen ze elkaar alles na zo'n ontmoeting? Alles, van het begin tot het eind? Of alleen maar een klein beetje?

Door de abrikozencompote die op tafel komt wordt ze aangemoedigd. Ze hebben ze samen in de boomgaard geplukt, samen vrolijk ontpit.

Ze heeft haar golf uitgekozen. Het staat vast, het is de eerstvolgende. Gauw! Gauw!

'Ik heb 'm gezien!'

'Wat zeg je?' vraagt Céline verstrooid.

'Ik heb 'm gezien, die jongen. Ik weet zelfs dat hij Rémi heet!'

Het water is minder koud dan ze dacht. Ze staat nog met beide voeten op de grond. Ze heeft de juiste golf gekozen. Ze zou bijna haar blauwe reddingsgordel kunnen afdoen.

'O ja?' vraagt Céline, bijna opgewekt lachend.

Mathilde legt haar armen over elkaar op de tafel.

Haar moeder gaat in dezelfde houding tegenover haar zitten.

Mathilde heeft het gevoel dat ze lang op dit ogenblik heeft gewacht. Dat ze er zelfs voor ter wereld is gekomen: voor dit verhaal, dat haar toebehoort en de manier waarop – de manier waarop is belangrijk – ze het gaat delen met haar moeder, het wezen van wie ze het meeste houdt, naast degene die tussen twee steeds langer durende reizen 's nachts met de deuren slaat.

Te oordelen naar het gezicht van het liefste wezen, dat naar haar luistert, schiet Mathilde met haar verhaal in de roos en vertelt ze het op de juiste manier.

Het is een gezicht dat alle gevoelens uitdrukt die Mathilde kent, maar het heeft ook nog iets anders, iets wat ze niet kent en op dit ogenblik nog niet kan omschrijven, omdat ze het te druk heeft met het opsmukken van haar verhaal.

Ten slotte vertoont Célines gezicht een glimlach, een van de mooiste die Mathilde bij haar heeft gezien, vooral sinds ze nooit meer, of althans veel minder, glimlacht.

Céline lijkt op het punt te staan haar eveneens glimlachende armen boven de schaal met abrikozencompote naar haar uit te strekken. Mathilde wil opstaan en zich op haar moeders schoot voor een toetjesliefkozing aan tafel naar Céline toe haasten, maar ze bedenkt zich.

Iets zegt haar dat ze zich dat niet kan permitteren en… En ze is er niet zeker van dat ze vanavond de tedere, geparfumeerde adem van haar moeder in haar nek wil voelen. Een andere adem, die ze heeft verzwegen in haar overigens getrouwe verhaal, een lichte, veel ongetemdere adem kietelt haar daar nog onder het fijne dons van haar haar.

Waarschijnlijk is dat het 'vrouwen onder elkaar' zijn, zegt Mathilde bij zichzelf als ze haar haar bordje aanreikt: weerstand kunnen bieden aan een toetjesliefkozing.

'Ik ga schommelen, mama!'

Mathilde heeft de blauwgeruite kuitbroek met het witte bloesje aan dat ze op haar buik gestrikt heeft zoals ze dat bij de vrouwen op het strand heeft gezien.

Céline kijkt op uit haar boek.

Na een gesprek dat van grote invloed was voor hun verblijf in de Provence, zijn ze overeengekomen dat haar dochtertje deze zomer mocht aantrekken wat ze wilde. Mathilde is vast van plan ruimschoots van deze vrijheid gebruik te maken omdat ze van mening is dat je beslist bij elke activiteit de kleren moet dragen die daarbij passen. Haar moeder volstaat er dan ook mee goed of af te keuren, wat in beide gevallen strookt met Mathilde en haar gevoel van eigenwaarde, dat niet minder gesteld is op tweedracht dan op eendracht.

'Erg schattig', zegt Céline. 'Zal ik je komen duwen?'

'Nee, da's niet nodig.'

Iedereen zou begrijpen dat Mathilde op het nippertje 'vooral niet!' heeft ingeslikt.

Céline als eerste. 'Dan niet, ik heb het begrepen', zegt ze met een slimme uitdrukking die Mathilde onmiddellijk irriteert.

Kinderen weten het helaas maar al te goed: ouders zijn afschuwelijk indiscreet. Dat is de prijs die ze moeten betalen voor hun inzicht en hun vermogen om overal tegelijk te zijn. Omdat ze alles heel snel doorhebben, kunnen ze het niet nalaten dit te laten merken. Bij Mathildes moeder gebeurt dat stelselmatig. Daar is niets tegen te doen.

Toch is het wat de schommel betreft geen heksentoer: als Mathilde haar moeder niet nodig heeft om zich te laten duwen, moet er inderdaad een ander zijn die dat in haar plaats doet, en die ander... die ander wacht op haar onder de cederboom.

Zij is zelf degene die deze plek heeft afgesproken toen ze met knikkende knieën, maar met een helder hoofd, van de tractor klauterde en vond dat het deze keer aan hem zou zijn op haar grondgebied te komen.

Hij zei dat het niet zo gemakkelijk was van de boerderij weg te gaan, dat hij nooit in de tuin boven de zonnebloemen was geweest, maar hij zou het proberen; om zijn vastberadenheid te tonen spuugde hij daarna op de grond.

Mathilde gaat de tuin in en doet haar best te vergeten dat haar moeder haar nakijkt.

Ze weifelt welk pad ze zal nemen, al komen alle paden bij de schommel uit. Haar keuze valt op het pad met de bamboehut die vol gieters, harken, schoppen en trapjes staat.

Het is natuurlijk dezelfde tuin als gisteren, maar toch is hij heel anders. Gisteren hield de tuin alle mogelijke beloften, pleziertjes en vermakelijkheden in. Mathilde heeft erin rondgelopen als in een speelgoedwinkel, ze was, bedwelmd door de overvloed, van het ene wonder naar het andere gehold. Vandaag heeft ze haar spel uitgekozen, ze weet wat ze zoekt, iets anders wil ze niet. Het heeft de gedaante van een jongen die een tand mist en twee muzieknoten in zijn stem heeft. Een jongen die niet aarzelt voor de voeten van een meisje te spugen als hij zijn woord heeft gegeven.

Sinds gisteren is ze vergeten wat het betekent zich te vervelen. Na een wolf te hebben laten zingen, na weerstand te hebben geboden aan de toetjesliefkozing, trakteert Mathilde zichzelf op een afspraak in de tuin der beloften.

Sinds gisteren heeft ze aan de hand van haar moeder de duizelingwekkende schoonheid van de zonnebloemen ontdekt en, boven de zonnebloemen op de tractor gezeten, zich uitsluitend vastklampend aan haar verlangen, de duizeling van iets nieuws leren kennen.

Sinds gisteren heeft ze de hand van haar moeder losgelaten. Daarom is de tuin zo anders. Hij is anders omdat ze er alleen heen gaat. Anders omdat ze hem doorkruist voor iemand die haar verwacht onder een oude cederboom, die daarvoor van heel ver is gekomen.

Mathilde loopt alleen en rechtop in haar blauwgeruite kuitbroek. Ze ziet de cederboom, die aan het eind van het pad naderbij komt, en daarna de schommel...

Haar hart maakt een sprong onder haar bloesje, een kinder-sprong: er is niemand. Wat doen in zo'n geval de vrouwen die op het strand hun bloes op hun buik knopen? Wat doen ze als er niemand is?

Natuurlijk huilen ze niet, ze stampvoeten ook niet van woede, maar wat doen ze dan wél, als ze niet huilen?

Mathilde gaat op het houten plankje van de schommel zitten. Haar broek zit strak. Ze vraagt zich af of de geruite kuitbroek inderdaad de juiste kleding is, of ze niet beter een jurk of een wijde rok had kunnen aantrekken die wordt opgeblazen als een para-chute als ze vaart krijgt. Ze vraagt zich zelfs af of deze fout in haar smaak niet doodgewoon de onbegrijpelijke afwezigheid verklaart. Ze weet niets van de eisen die jongens aan de kleding van de meis-jes stellen. Misschien zijn ze op dat punt nog pietluttiger dan de meisjes zelf, want die zien alles. En als hij nu eens weg is? Als hij nu eens nooit meer terugkomt? Als hij eens niet in ernst heeft ge-spuugd? Als...

'Hé! Zie je me nou of zie je me niet? Je zei "op de schommel". Ik zit boven op je schommel!'

Mathilde kijkt verbijsterd op. Hij is er.

Rémi, die schrijlings en met afhangende benen op de tak van de cederboom zit, heel tevreden dat hij haar opnieuw overrompeld heeft, lacht al zijn tanden min één bloot. Hij heeft een donker-blauwe spencer en een korte broek in dezelfde kleur aan; het lijkt op een gympakje dat hem uitstekend past.

Jongens moeten altijd een hoog stekkie hebben…

'Je kon dus komen?' vraagt Mathilde, nog steeds meer teleurgesteld dan verrast, tamelijk onnozel.

'Hoezo? Je moet weten hoe je met de Fougerolles omgaat. Makkelijk zat. Zal ik je duwen?'

'Eh… ja, graag!'

In een vloek en een zucht hangt Rémi omgekeerd, met het hoofd naar beneden, met zijn knieholten aan de tak; met beide armen duwt hij het touw van de schommel aan. Mathilde kan geen woord uitbrengen. Ze is stomverbaasd.

Langzaamaan gehoorzaamt de schommel aan de gespierde armen van de jongen. Mathilde helpt hem zo goed mogelijk door haar benen naar voren te gooien, heel tevreden met de kuitbroek voor dit originele nummer.

Samen gaan ze hoog. Heel hoog.

Mathilde houdt haar hoofd achterover. Ze raakt bijna het hoofd van Rémi. De bruine lokken gaan rakelings langs de blonde krullen. Door hun kop-aan-staart naderen de twee omgekeerde gezichten, die elkaar heel intens aankijken, elkaar ontdekken en van elkaar leren, elkaar heel dicht.

Nog nooit heeft ze een jongen van zo dichtbij en ondersteboven gezien.

Nóg hoger.

De hele cederboom buigt door, van voren naar achteren, van achteren naar voren. Ze vraagt zich zelfs niet af of Rémi alleen maar door de kracht van zijn bovenbenen, die meer de kleur van ontbijtkoek hebben dan ooit, zo lang met zijn hoofd naar beneden kan hangen alsof hij deel uitmaakt van de boom die van verre is gekomen.

Zo te zien hangt Rémi evenzeer aan Mathildes ogen als aan de tak.

Ze slaat haar ogen niet meer af van de twee van plezier glunderende olijven, waarin ze heel diep kijkt als de schommel omhooggaat.

Het hart van het kind springt op onder haar bloesje: een kleine tamtam van emotie en durf.

'Ben je niet bang, Thilde?' vraagt de omgekeerde mond.

'Nee, ik ben niet bang', antwoordt de mond met de goede kant naar boven. 'Een klein beetje maar', voegt ze er toch aan toe, want alle bomen in de tuin vallen op hun beurt om, net als de bamboehut met de gieters, harken, schoppen en trapjes.

Samen, kop aan staart, besluiten ze daarom naar beneden te gaan en het evenwicht te herstellen. Weldra komen de bamboehut en de bomen weer een voor een op hun plaats op de grond terecht. De cederboom komt van ver, veel verder dan de Libanon, dat staat vast. Na het 'op' is er geen 'neer', na het 'neer' is er geen 'op' meer.

Eindelijk hangt het plankje stil.

Mathilde kijkt stomverbaasd naar de grond die ze een paar miljoen jaar geleden heeft verlaten. De tijd om weer een normaal klein meisje op een schommel te worden. Rémi staat heel dicht bij haar. Hij mag trots kijken, dat mag hij: het is immers al de tweede keer dat hij haar laat zweven.

Mathilde, die bekendstaat om haar steekhoudende opmerkingen, haar scherpzinnige observatievermogen, voelt zich weer dom worden.

'Wil je later piloot worden?' vraagt ze om niet achter te blijven en ook om te ontkomen aan die olijvenblik die – passer, driehoek, millimeterpapier – bijzonder indringend over het koket gestrikte bloesje glijdt.

'Piloot? Nee. Zeeman. Ik wil zeeman worden!'

'Waarom zeeman?'

'Nogal wiedes: om mijn vader te zoeken.'

Mathilde denkt aan haar eigen vader, die vaak weg is maar altijd terugkomt. Ze vindt dat Rémi gelijk heeft dat hij zijn vader wil zoeken als hij nooit terugkomt.

'En je moeder?' vraagt ze, zonder al te zeer na te denken.

Rémi antwoordt niet. Alsof hij de vraag niet heeft gehoord.

'Vond je 't fijn om te schommelen?'

'Ja, heel fijn', antwoordt Mathilde, heel even kleurend.

Ze wil er iets aan toevoegen, deze keer iets wat Rémi misschien graag zou willen horen, als ze aan het eind van het pad haar moeder ziet aankomen.

Rémi draait zich om, kijkt Mathilde aan, en draait zich opnieuw om naar de vrouw die daar nadert.

'Je hoeft niet bang te zijn. Het is m'n moeder!'

Het dringt nu tot haar door, ze had niet helemaal ongelijk wat de wolf betreft. Het klopt: hij ziet er eensklaps wild uit. Het klopt: zijn ogen krijgen een andere glans: een en al wantrouwen, schuw. Mathilde vindt het vreemd, maar het doet haar ook genoegen dat zij, alleen zíj hem heeft getemd, zonder angst, alleen maar een beetje.

'Jij bent dus Rémi.'

Céline streelt de bruine haardos zonder zich te bekommeren om het feit dat de jongen even terugdeinst.

Mathilde vindt dat moeders de kunst verstaan met kinderen te praten, vooral wanneer het niet hun eigen kinderen zijn.

De liefkozing over zijn haar en de zo vriendelijk uitgesproken naam missen hun uitwerking niet. Rémi wil best glimlachen, zijn tanden min één bloot lachen, ook tegen Céline, maar meer niet. Hij maakt zich zo snel uit de voeten dat Mathilde niet de tijd heeft om iets ten afscheid te zeggen.

'Is die Rémi van jou niet een beetje aan de bedeesde kant?'

'Hij is niet bedeesd, hij is schuw', antwoordt Mathilde gepikeerd.

Bedeesd of schuw: dat is niet hetzelfde. Bij bedeesde jongens doen de meisjes alles: ze doen voorstellen en leiden het gesprek. Met iemand die schuw is kom je altijd voor verrassingen te staan, je verkeert altijd in gevaar, zonder dat je ergens om vraagt. Te gek!

'Wat sta je weer binnensmonds te mompelen?'

'Ik zeg dat die Rémi van mij gewoon te gek is', zegt ze, waarbij ze de klemtoon legt op 'van mij'.

Céline barst in lachen uit.

'Zal ik je duwen of gaan we eten?' vraagt ze aan haar dochtertje, dat nog steeds op de schommel zit.

Mathilde tracht zich voor te stellen hoe haar moeder ondersteboven aan de tak van de cederboom hangt.

'Laten we maar gaan eten', antwoordt ze zonder te aarzelen.

Moeder en dochter steken opnieuw de tuin over, in een goed humeur, temeer daar Céline zegt dat er meloen en ijs is.

Ze houden elkaar bij de hand. De hand van een moeder is toch wel prettig, bedenkt Mathilde, vooral als je ze van tijd tot tijd kunt loslaten.

'Denk je dat Rémi geen moeder heeft?'

'Natuurlijk heeft hij een moeder, maar hij kent haar niet.'

Mathilde hoopt dat Rémi gauw zeeman wordt om op zijn minst zijn vader te leren kennen.

'Eten, een middagdutje, en dan gaan we naar het station om Christiane en Bénédicte af te halen. Goed?'

Bénédicte…

Ze was Bénédicte helemaal vergeten. Wat moet ze toch met Bénédicte, nu ze haar eigen speeltje, Rémi, voor haar alleen heeft? Nu ze zijn Thilde is?

Nee, ze vindt het niet goed, helemaal niet.

Mathilde blijft staan.

'Wat heb je toch?'

Goed, Céline heeft haast, ze klinkt snauwerig.

'Ik ben misselijk', zegt Mathilde, die niets anders weet te bedenken.

'Dat komt van het schommelen. Het is niet ernstig', zegt haar moeder, die wat harder gaat lopen.

Jawel, het is wel ernstig, het is zelfs heel ernstig!

Als ze uit de trein zijn gestapt merkt Mathilde het op: Bénédicte is groter geworden en nog slanker, ze ziet er geweldig uit met haar lange vlechten die naar het rood neigen, haar melkwitte huid en, vooral, haar eigen stijl, die ze naar het schijnt al had toen ze haar eerste speelpakje kreeg en die op het stationsperron doodeenvoudig in het oog springt.

Het maakt de omhelzingen zuur.

Mathilde, die van zichzelf weet dat ze er vrij aardig uitziet, betwijfelt eens te meer of ze haar achterstand op Bénédictes stijl, kennis en volwassenheid ooit zal inhalen: Christiane laat haar kleren maken bij het modehuis waar zijzelf ontwerpster is, Bénédicte zit al langer dan een jaar op de grote school en ze pruilt nooit, heeft geen liefkozingen nodig en kan 's nachts in het pikdonker slapen.

Bij elke ontmoeting heeft Mathilde dit onplezierige gevoel van haar achterstand, dat daarna afneemt omdat Mathilde zich uitput in geestigheden, lef en originaliteit: Bénédicte is ernstig, gereserveerd en volkomen voorspelbaar.

Maar terwijl Mathilde zich in de gloednieuwe huurauto tevergeefs overgeeft aan een idyllische beschrijving van de slaapkamer, de tuin en de boerderij, voegt zich bij het onprettige gevoel de gedachte die nog niet bij haar was opgekomen en die haar afschrikwekkender lijkt dan alle nachtelijke fantomen: stel je voor dat Rémi Bénédicte ook te gek vindt!

Mathilde opent het raampje aan haar kant. Een lelijke tocht brengt de smetteloze pony van haar vriendin in de war.

'Waarom doe je 't raampje open?' vraagt Céline, die voorin een zeer persoonlijk gesprek met haar vriendin Christiane onderbreekt waarin 'hij' vaak terugkomt.

'Ik ben misselijk', zegt Mathilde.

'Alweer!'

Dan gebeurt het ergste. Céline, haar moeder, haar eigen moeder, met wie ze hand in hand door de tuin loopt, met wie ze de emotie van de zonnebloemen en het plukken van abrikozen heeft gedeeld, van wie ze vanwege het beloftevolle dacht dat ze haar weliswaar onhandige medestandster, haar weliswaar opdringerige vertrouwelinge was, slaat een theatrale toon aan en schettert tegen niemand in het bijzonder: 'O ja, wat Mathilde jullie nog niet heeft verteld, is dat ze een aanbidder heeft! Hij heet Rémi. Hij is een beetje bedeesd...' Ze corrigeert zichzelf: '...Een beetje schuw. Maar hij is erg aardig!'

Ze zeggen dat er vlak voor je dood, als je bijvoorbeeld door een te sterke golfslag verdrinkt of van een schommel valt, een heleboel gedachten en beelden bij je opkomen. Datzelfde is waarschijnlijk het geval als de lust je bekruipt iemand te doden. Mathilde ziet de duizend en een manieren om haar moeder om te brengen voor zich, ze geeft er de voorkeur aan haar meteen achter het stuur te wurgen, zodat iedereen tegen een plataan te pletter slaat en zijzelf niet in de gevangenis belandt...

Christiane, die zich heeft omgedraaid, heeft waarschijnlijk aan Mathildes gezicht gezien dat ze ondersteboven is. Ze glimlacht, ze werpt haar met haar vingertoppen een kusje toe en brengt het gesprek op meloenen, op perziken, op een of ander tuindersonderwerp.

Maar Bénédicte, hoewel gekleed door Christiane, heeft niet de stijl van haar moeder als ze sterft van nieuwsgierigheid.

'Hoe oud is Rémi?' vraagt ze.

Het is niet erg eerlijk, ze geeft het toe, maar ze moet haar woede afreageren en dat doet ze op Bénédicte.

'Dat gaat je geen barst aan!' antwoordt ze nijdig.

Geen erg fijne opmerking, maar zoiets werkt altijd. En het komt harder aan dan een van Christianes meloenen.

'Mathilde!' protesteert Céline zonder overtuiging, misschien omdat ze toch wel beseft dat ze een flater heeft geslagen.

Mathilde begint te pruilen.

Pruilen is een staat van genade... Een luchtbel. Een bol. Een bal van verbittering. Het kluwen van de melancholie. Een koprol van ontgoocheling. Een slakkenhuis van droefheid. Je moet er lang in opgesloten blijven voordat het verdriet, het al dan niet gerecht-vaardigde zelfmedelijden tot iets prettigs, tot wellust wordt, alsof, door je erin te wentelen, het verdriet zich afwikkelt, uit zichzelf leegstroomt en na pijn, zo verschrikkelijk veel pijn te hebben ge-daan, helemaal niet voelbaar meer is en zelfs eerder aangenaam wordt.

De staat van genade van het pruilen, waardoor je buiten bereik van de anderen, buiten bereik van jezelf in een zelfgekozen een-zaamheid belandt die door niets of niemand kan worden doorbro-ken.

Maar vandaag zit Mathilde niet echt alleen in haar luchtbel, haar bol, haar bal. Ze pruilt samen met Rémi. Hij zit met haar in het slakkenhuis. Dat is normaal, want het is zijn schuld, het komt alle-maal door hem.

De volmaakte pruilbui, dat wil zeggen: de pruilbui waardoor je op een slaapwandelaar lijkt en die indruk maakt.

Mathilde heeft vastgesteld dat ze niet wordt lastiggevallen als ze goed pruilt. Iedereen blijft op een afstand. Slaapwandelaars mag je naar het schijnt niet wekken. Voor iemand die pruilt geldt het-zelfde. Hij wordt gerespecteerd. Dat is een van de redenen waarom je lang genoeg moet pruilen.

Bij aankomst thuis rolt Mathilde in haar slakkenhuis naar de boomgaard, waar ze zich volpropt met abrikozen, terwijl Céline Bénédicte de prinsessenkamer wijst en haar de tuin, en misschien wel de schommel, laat zien.

Gelukkig is het te laat om nog naar de boerderij te gaan: vanavond wil ze hem veel liever niet ontmoeten dan hem te moeten delen. Morgen ziet ze wel verder.

Geholpen door de abrikozen, en omdat het bijna etenstijd is, voelt Mathilde dat ze kan overwegen in haar slakkenhuis te kruipen, waar de laatste uitwasemingen van de rancune verdampen. De keukentafel doet de rest: die ziet er uiterst aantrekkelijk uit, de sfeer werkt aanstekelijk en op Mathildes bord liggen een paar cadeautjes waaraan ze kan zien dat Christiane is aangekomen: een wit kanten zomerjurkje en een toilettas een echte jongedame waardig.

Iedereen applaudisseert.

'En dit hier is mijn cadeautje', zegt Bénédicte, terwijl ze Mathilde een klein doosje aanreikt.

'Wat is het?'

'Kijk maar.'

Mathilde opent het doosje in de grootste stilte…

Het is een beeldig kralensnoer met in het midden een hartvormige schelp die haar aan iets doet denken.

'Heb je dat zelf gemaakt?' vraagt Mathilde, die al een beetje spijt heeft dat ze haar heeft afgesnauwd, vol bewondering.

'Ja', zegt Bénédicte.

Het spijt Mathilde ook dat ze jaloers is geweest…

Als de moeders later naar boven komen om hun een nachtzoentje te geven, zijn de twee prinsessen twee zussen achter hun wit tulen gordijnen.

Céline blijft even op het bed van haar dochtertje zitten.

'Ben je nog erg boos op mij?'

'Nee hoor! Ik ben helemaal niet boos', zegt Mathilde, die haar van harte kust.

Maar als Céline zachtjes de kamerdeur dichtdoet als om deze tedere verzoening tot het laatst toe te begeleiden, beseft Mathilde verbijsterd dat ze gelogen heeft over haar meest wezenlijke verhouding tot haar moeder. Ja, ze is wel boos op haar. Ze is nog steeds boos. En ze zal altijd boos blijven.

Vol ontsteltenis komt ze ook tot het besef dat in een slakkenhuis niet altijd aan rancune een einde komt. Dat gepruil – een luchtbel, een bol en een bal – bij kleine meisjes past omdat ze Rémi nog niet hebben ontmoet.

Het gekste is nog dat haar leugen, die haar verdriet zou moeten doen, haar niets doet, maar dan ook helemaal niets...

'Slaap je al, Bénédicte?'

'Nee.'

'Zal ik je wat over Rémi vertellen?'

'Ja.'

En Mathilde vertelt haar van de vierkante nagels, de lichte ademstroom in haar nek als Rémi achter haar zit en de in verwarring gebrachte ogen als hij boven haar hangt. Ze vertelt van de duizeling op de tractor en de schommel.

'Mooi', besluit Bénédicte. En ze voegt eraan toe: 'Mijn kralensnoer met de hartvormige schelp komt dus goed van pas!'

De wit tulen gordijnen rondom de twee grote bedden bewegen heen en weer in het lauwe briesje dat door het openstaande raam naar binnen komt.

'Ja, het komt goed van pas.'

Ze kan zo lang nadenken als ze wil, ze kan niet achterhalen waaraan de schelp haar doet denken.

'Wat hoor ik toch?' vraagt Mathilde, die bijna slaapt.

'Krekels', zegt Bénédicte met een geleerdheid en een volwassenheid die Mathilde vanavond niet storen. 'Ze sjirpen in de zomernacht, als de cicaden slapen.'

Mathilde vindt dat er werkelijk veel wordt gezongen in het land van de zonnebloemen.

Het besluit is genomen tijdens het ontbijt, tussen het halve toastje van Bénédicte en de zes boterhammen met jam van Mathilde.

Vandaag is het marktdag: een gelegenheid bij uitstek voor een onopvallende tocht naar de boerderij, want om allerlei redenen kunnen ze niet meer wachten, ze willen Rémi zien.

Ze zijn het eens geworden over wat ze zullen aantrekken: allebei hetzelfde, daarop heeft Mathilde aangedrongen omdat ze nog steeds beducht is voor Bénédictes elegante stijl: een spijkerbroek, een T-shirt, tennisschoenen en een paardenstaart…

Nee hoor, ze hebben geen zin om mee naar de markt te gaan. Ja-wel, ze kunnen heel goed alleen thuis blijven!

Nooit hebben Céline en Christiane zo veel tijd nodig gehad om zich voor te bereiden, om doelloos te treuzelen, om te doen alsof ze vertrekken, zodat het bijna twaalf uur is als de auto zich einde-lijk van het huis verwijdert.

Hun zenuwen zijn gespannen.

'We gaan!' zegt Mathilde.

Ze lopen door de tuin en houden zich nauwelijks op bij de opeenvolgende schatten: het lege konijnenhok, de fontein, de kruiwagen, het hondenhok...

Bij de schommel blijven ze staan. Een minuutje stilte ter herdenking. Ze komen aan bij het hek, dat ze maar hoeven open te duwen.

Opnieuw de betovering van het absolute geel. Opnieuw heeft Mathilde, die geen beweging meer kan maken, het gevoel dat de bloemen, met hun koppen naar haar toe gericht, haar aankijken en met haar praten.

'Wat heb je toch?' vraagt Bénédicte.

'Ben jij dan niet duizelig?' vraagt Mathilde.

'Nee. Hoezo?'

Hoezo? Bénédicte, die niets voelt, niets hoort, is werkelijk verbijsterend. Heeft ze ooit zulke zonnebloemen gezien? Ze zijn zo mooi dat je ze onmogelijk kunt schilderen, ze roepen zo hard, en met een stem uit duizenden stralende monden, dat je ze niet kunt begrijpen. Dat krijg je als je niet genoeg eet: een armzalig half toastje bij het ontbijt. Dan word je ongevoelig. Mathilde vindt het bedroevend dat Bénédicte ongevoelig is voor de zonnebloemen. Onrustbarend. Onrustbarend met betrekking tot Rémi. Zal ze hem wel zien en aanvoelen?

'Hoezo?' vraagt Bénédicte nogmaals.

'Ach, niets. Niets... Kom maar. Kijk, daar is de boerderij, hier pal onder.'

Het is ontroerend zich Rémi onder het okerkleurige dak voor te stellen, Rémi die niet weet dat zij naar hem toe komt…

Bij de boerderij worden ze door mevrouw Fougerolles zonder veel enthousiasme begroet, al klopt ze vriendelijk op Mathildes wang: het komt slecht uit. Er is zo veel werk te doen dat ze niet weet waar ze moet beginnen. De konijnen moeten worden gevoerd. En de soep is nog niet gaar.

Meneer Fougerolles komt opdagen; zijn pijp is gedoofd, maar zijn blik in het geheel niet.

'Als jullie voor Rémi komen, hij zit bij de geiten… Je weet wel waar dat is', zegt hij spottend tegen Mathilde, die voelt dat hij haar doorheeft.

Toch, als ze erover nadenkt, vraagt ze zich af of hij dat zei vanwege Rémi en haar, of dat hij net als zijzelf het gevoel heeft dat ze al eerder op de boerderij is geweest, deze boerderij, die haar zo bekend voorkwam. Een man die pijp rookt zonder er ooit de brand in te steken weet waarschijnlijk heel veel!

Ze lopen om de boerderij heen en komen bij de schuur met de oude tractor, die op zijn beurt het eerbewijs ontvangt waarop hij recht heeft. De omheinde ruimte met de geiten is vlakbij.

Mathilde wordt overvallen door een groot aantal tegenstrijdige angsten. Het 'stel dat…' prikt herhaaldelijk als de punt van een pas geslepen potlood in haar hart.

Als die vraag zich te vaak voordoet, is dat misschien een teken dat ze beter niet had kunnen komen, maar nu is het te laat: ze is er, met Bénédicte, die sterft van nieuwsgierigheid.

Er zijn veel meer geiten dan de laatste keer, ze lopen allebei heel voorzichtig te midden van de kudde. Sommige geiten hebben een bel om hun nek. Mathilde denkt dat het een voorrecht is bij elke beweging van de kop te klingelen en al dit wit bij elkaar te houden dat een zeer sterke lucht afgeeft waarin ze iets van de verse kaas terugvindt, maar waaruit ook de stank opstijgt van de indrukwekkende hoeveelheden keutels, waarin de dieren vrolijk en met stampende hoeven rondlopen.

Mathilde vindt dit samengaan van witte tinten en smeerboel, van dierlijke geuren en geluiden bedwelmend.

Opnieuw zegt ze bij zichzelf dat ze het niet erg zou vinden als ze een geit was. Maar achter haar begint Bénédicte te sniffen. Het lijkt erop dat ze het helemaal niet bedwelmend vindt – ze heeft trouwens een hekel aan geitenkaas – en alleen maar aandacht heeft voor haar tamelijk besmeurde nieuwe tennisschoenen.

'Waar is die Rémi van jou nou?' vraagt ze nogal geïrriteerd.

Die Rémi van jou… Mathilde glimlacht: het klopt dat Rémi van haar is.

'Weet ik niet! Hij zal hier wel ergens zijn.'

Bij dat 'ergens' komen ze ten slotte aan. Het is aan de andere kant van de almaar smeriger wordende kudde, die nerveus wordt door de steeds verder doordringende meisjes. Rémi, haar Rémi, gezeten op een grote, geroeste melkbus, kijkt toe hoe ze in zijn richting komen.

Hij heeft zijn te grote matrozenpakje aan, zijn haar zit in de war en zijn gezicht is een en al spot. Hij heeft hen waarschijnlijk al een hele poos tussen de geiten zien ploeteren, zonder een woord te zeggen.

'Je had ons wel eens mogen helpen', zegt Mathilde aangeslagen.

Aangeslagen is ze niet omdat hij hen niet te hulp is gekomen, ze is het omdat ze hem liever in een ander pakje had gezien, een pakje in zijn maat, en beter gekamd, kortom: toonbaarder, voordeliger. Zodat Bénédicte steil achterover was geslagen. Want het klopt dat Bénédicte zich veel van hem heeft voorgesteld, en het is mogelijk dat ze er nu niet veel meer van verwacht, te oordelen naar haar gezicht, naar de uitdrukking van afkeer en walging waarmee ze met een stokje haar schoenzolen schoonmaakt en tersluiks naar Rémi kijkt, alsof ze hem liever geen hand geeft, wat je over het algemeen toch doet als je het vriendje van een vriendinnetje ontmoet.

Aangeslagen is ze omdat ze Rémi liever in verwarring had gezien in plaats van met die spottende uitdrukking, een Rémi die zijn verstand verliest, die de kluts kwijtraakt, doordraait, niet weet wat hij doen moet, en de indrukwekkende Bénédicte, die onder de indruk is van al deze emoties en zegt: 'Wat mooi!' Net als gisteravond, toen de krekels zongen terwijl ze naar Mathilde luisterde.

'Wat kom je doen, Thilde?' vraagt Rémi, nog steeds spottend en zonder van zijn geroeste melkbus af te komen, terwijl hij een vormeloos hoopje grijs haar aait dat Mathilde nog niet heeft opgemerkt, maar dat haar aan iets doet denken, net als de hartvormige schelp die Bénédicte haar heeft gegeven.

Inderdaad een goede vraag. Wat komt Thilde doen? Mathilde, die niet meer weet of ze nog zijn Thilde wil zijn, vraagt het zich af.

Tot haar verbazing is het Bénédicte die antwoordt, waarbij ze goed de nadruk legt op de onvoltooid verleden tijd, die waarschijnlijk op de grote school is bijgeschaafd: 'Ze is gekomen omdat ze dat graag wilde en omdat ik ook graag wilde.'

Bénédicte heeft deze zin op een verbijsterende manier uitgesproken, hetgeen bewijst dat haar stijl niet beperkt blijft tot haar kleren. Mathildes gevoel van eigenwaarde is gered.

Voor Rémi is het een hele klap. Hij kijkt naar Mathilde. Monstert haar… Passer. Driehoek. Liniaal. Calqueerpapier. Carbonpapier. Millimeterpapier. Een complete taxatie.

Mathilde vindt het niet erg prettig te zien hoe Rémi haar vriendin op dezelfde manier taxeert als hij bij haar heeft gedaan voordat hij haar vroeg op de tractor te klimmen. Ze zou niet willen dat het met eenzelfde soort voorstel eindigde.

Bénédicte blijft op volmaakte wijze overeind. Beter nog, ze is niet voor niets de dochter van een modeontwerpster en gebruikt voor haar reactie haar eigen gereedschap: een schaar, een meetlint, naald en draad, een speld, een naaimachine.

Ten slotte vraag je je af wie wie taxeert, wie zich aan wie meet, maar voor Mathilde duurt dit ogenblik, dat afhangt van een beslissing die nergens vandaan komt, een eeuwigheid.

Rémi is degene die zwicht. Met de verleidelijkste glimlach, die laat zien dat hij een tand mist, wendt hij zich tot Mathilde: 'Die spijkerbroek staat je niet slecht, maar de jurk met de stippen vind ik mooier.'

Ze weet niet wat Bénédicte de komende ogenblikken zal doen, zelfs niet of Bénédicte nog leeft, want in haar eigen wereld zijn ze met z'n tweeën, alleen maar met z'n tweeën. Ze kijken naar elkaar. En weer vertrekken ze in galop, weer worden ze in hun roes heen en weer geslingerd, maar zonder de tractor, zonder de schommel, boven de grond verheven door de kracht van hun blikken.

Als ze weer bijkomt, voelt Mathilde iets vochtigs en zachts dat haar hand likt: het hoopje grijs haar heeft een kop, twee ogen, een tong.

'Hij heet Léon', zegt Rémi, terwijl hij van zijn melkbus springt.

'Eh… En dat is Bénédicte', zegt Mathilde, naar haar vriendinnetje wijzend. 'Mijn beste vriendin', voegt ze eraan toe, nogal in verlegenheid gebracht omdat ze niet meer aan haar dacht.

Mathilde vindt Léon een rare naam voor een hond, maar wat ze nog gekker vindt, is dat Léon zo lijkt op de hond van Félix, de verloofde van haar oma.

Zelfs door de manier waarop hij haar hand likt zou ze hebben gezworen ook hem te herkennen. Maar Félix' hond is dood. Ze herinnert zich hoe bedroefd ze was toen hij in het voorjaar stierf.

Bénédicte en Rémi blijven naar elkaar kijken, maar zonder hun gereedschap. Mathilde weet niet wat ze zeggen moet nu ze na de kennismaking gedrieën in de geitenkeutels staan.

De boerin maakt aan de onzekerheid een einde door aan de andere kant van de omheinde ruimte op te duiken: 'Hé, kom me even helpen, kleine schalk! Ga de konijnen voeren in plaats van het heertje uit te hangen!'

Het komt Mathilde voor dat Rémi bloost onder zijn ontbijtkoekkleurige huid. In zijn plaats zou Mathilde ook hebben gebloosd. Boeren zijn nog minder discreet dan moeders.

'Oké... Nou... Ik moet gaan', stottert het heertje in kwestie.

Niemand durft meer iemand aan te kijken.

'Kom, Léon', zegt hij tegen de hond, die het gezelschap van de meisjes op prijs lijkt te stellen en hen tevreden besnuffelt. En Rémi verwijdert zich met Léon op zijn hielen, zonder zich nog om te draaien.

Bénédicte en Mathilde zien hem stilzwijgend vertrekken. Gelukkig maar, want Mathilde zou juist nu alleen maar afschuwelijke dingen kunnen zeggen. Dat hij voorgoed vertrokken is. Dat ze hem niet zal weerzien. Dat hij vannacht zal sterven, net als de hond van Félix, en dat ze niet eens afscheid van hem heeft genomen...

Rémi en Léon zijn achter de schuur verdwenen.

'Kijk verdorie niet zo! Hij is de wereld niet uit!'

Het goede aan Bénédicte is dat ze geen beren op de weg ziet. Ze ziet de dingen altijd zoals ze zijn, precies zoals ze zijn. Soms is dat te betreuren, zoals voor de zonnebloemen, die haar niets doen, haar in het geheel niet duizelig maken. Maar soms is het een geluk. Geruststellend. Het heeft voordelen ongevoelig te zijn, vooral als je iemand ziet vertrekken van wie je niet wilt dat hij weggaat.

Mathilde vraagt zich af of het niet beter zou zijn als ze minder gevoelig werd, misschien door net als Bénédicte bij het ontbijt minder boterhammen met jam of minder biscuitjes te eten, wat haar niet gemakkelijk zou vallen…

Zonder iets te zeggen gaan ze terug naar huis, via de boomgaard, waar ze abrikozen plukken waaraan Mathilde onverschrokken weerstand biedt; ze volstaat ermee de mand te vullen die ze er voor dat doel hebben achtergelaten.

Geen van beiden durft de eerste stap te zetten, het eerste woord te laten vallen.

Mathilde brandt van verlangen om te horen wat Bénédicte van Rémi vindt, al is ze er tegelijkertijd beducht voor. Onherroepelijk, afdoend: zo is Bénédicte.

Bij aankomst thuis komt de auto met Christiane en Céline de weg af.

Het is nu of nooit. Mathilde, die zich vastklampt aan haar blauwe reddingsgordel, heeft zelfs de tijd niet om haar golf uit te kiezen. De vloedgolf die op haar toekomt is de enig mogelijke. Ze moet erin springen, op gevaar af samen met haar te pletter te slaan.

Niets zeggen. De ogen sluiten. Alleen de oren spitsen om haar oordeel te vernemen. Snel. Snel.

'En?' vraagt Mathilde met het water tot haar middel, met benen die door een vreemde kracht naar beneden worden gezogen, en met boven haar hoofd de zware golf, die op het punt staat uiteen te spatten.

Ze voelt zich opgezweept.

'Eh... ik weet het niet', antwoordt Bénédicte.

De golf is voorbij. Mathilde hoort hoe ze achter haar met een oorverdovend geraas stukslaat.

'Hoezo: je weet het niet?'

Een meisje dat altijd alles weet en zegt dat ze het niet weet, dat is niet serieus.

'Ik mag hem en ik mag hem niet', zegt Bénédicte, niet zonder in verwarring te zijn gebracht door haar eigen onzekerheid.

Op de storm in volle zee en de brandingsgolf volgt de lawine van de moeders: kusjes en proviand. Mathilde opent teleurgesteld alle pakjes. Ze hoopte op een cadeautje, dat ze niet hebben.

Ja hoor, ze zijn braaf geweest. Nee, ze zijn niet bang geweest in hun eentje.

Na eerst – overigens heel slecht – te hebben gedaan alsof, slaapt Bénédicte nu echt. Zelfs in het donker, zelfs gebruikmakend van haar vermoeidheid heeft Mathilde van haar beste vriendinnetje geen aanvullende toelichting gekregen, zodat ze er nu aan twijfelt of ze wel haar beste vriendin is: tenslotte kun je niet in zo'n onzekerheid blijven verkeren, dat moet Bénédicte heel goed weten. Kortom: Mathilde weet nog steeds niet wat Bénédicte aan Rémi mag en wat ze niet aan hem mag. Dat is vervelend, heel erg vervelend, om de eenvoudige reden dat Mathilde het zelf ook niet weet. Ook zij is verdeeld. Rémi heeft dingen waarvan ze houdt en dingen waarvan ze niet houdt. De schrikwekkende vraag die ze zichzelf stelt, is of je bij iemand van wie je houdt het recht hebt van sommige dingen niet te houden.

Soms vormt dat een probleem. Als bijvoorbeeld haar moeder of haar vader iets hebben wat haar niet bevalt, twijfelt ze er toch niet aan of ze van hen houdt. Maar geldt dat ook voor een jongen die je doet zweven, zelfs zonder met de voeten van de grond te komen?

Mathilde had ook willen weten of zij en Bénédicte van dezelfde dingen niet houden om te kunnen vergelijken, om te zien of er een verschil is tussen een meisje dat de zweeftocht heeft meegemaakt en een meisje dat die niet heeft meegemaakt.

In de namiddag, in de hut die ze besloten hebben te veranderen in een huis voor hen tweeën, heeft Mathilde verscheidene malen getracht haar een duidelijker antwoord te ontlokken. Tevergeefs. Bénédicte is even onverzettelijk als ze het niet weet als wanneer ze het wél weet.

Bovendien, als Mathilde zich voorstelt dat Bénédicte iets aan Rémi niet mag, is ze razend. En als ze zich voorstelt dat ze iets aan hem wél mag, is ze een beetje jaloers.

Zelfs over de ontbrekende tand, iets waarover Mathilde grote twijfels heeft omdat ze het tegelijkertijd heel belachelijk en erg mooi vindt, heeft Bénédicte geen uitspraak willen doen.

Bénédicte slaapt nu, Mathilde denkt met opengesperde ogen na over deze vragen zonder antwoord. De krekels sjirpen zonder dat er iemand naar ze luistert.

Wat doet Rémi op ditzelfde ogenblik? Ligt hij in zijn bed aan haar te denken, zoals zij aan hem denkt? Waar staat zijn bed? Op welke plek in de boerderij? Stel dat… Daar begint het 'stel dat' weer! Zonder dat 'stel dat', dat beseft ze heel goed, zou ze een andere, veel rustigere Mathilde zijn en zou ze net als Bénédicte al slapen. Bénédicte schijnt zich niet zoveel dingen af te vragen.

Het 'stel dat' dat bij haar opkomt verlamt haar.

Stel dat Rémi… stel dat Mathilde iets heeft waarvan hij niet houdt…

Zei hij niet dat hij de jurk met de stippen mooier vond? Hij heeft dus voorkeuren, en als iemand voorkeuren heeft, betekent dat dat er dingen zijn waarvan hij houdt en dingen waarvan hij niet houdt en — wie zal het zeggen — waarvan hij in feite helemaal niet houdt…

Ze heeft het erg warm. Ze gooit het laken van zich af, samen met het 'stel dat…' Ze vertrappelt het laken en het 'stel dat' met haar woedende voeten.

Ze moet dus nog meer aandacht schenken aan haar kleren. Eraan denken dat Rémi meer van jurken houdt dan van broeken. Niet het gevaar lopen niet bij hem in de smaak te vallen. In het ergste geval het hem telkens vragen, al doet hij van zijn kant geen enkele moeite, maar daarvoor heeft hij zijn redenen: hij is een jongen en valt bovendien onder de voogdijraad, waar ze misschien alleen maar matrozen- en gympakjes hebben voor kinderen wier ouders niet meer terugkomen.

Mathilde gaat rechtop in haar bed zitten. Bénédicte ziet eruit als een plaatje achter haar wit tulen gordijnen. Ze lijkt wel de schone slaapster. Het prinsessenbed past beter bij háár, dat klopt, maar Mathilde heeft de prins. Ze heeft toch geluk gehad dat ze als eerste is aangekomen, anders…

Het probleem is nu dat ze hem voor zichzelf moet zien te houden, dat ze hem niet aldoor moet delen, noch met Bénédicte noch met iemand anders.

In de hut deed Bénédicte alsof de ontmoeting met Rémi niets te betekenen had, alsof het niets aan hun gewoonten zou veranderen. Ze heeft er niets van begrepen, want de hut is natuurlijk wel vermakelijk, maar ze is om te doen alsof, ze is nep. Rémi, dat is iets anders, met hem is het menens.

Ze moet Bénédicte beslist vertellen dat het menens is met Rémi.

Mathilde is erg onrustig en staat op. Dankzij het maanlicht, dat door de halfopen luiken naar binnen valt, kan ze iets zien en vindt ze zonder al te grote moeilijkheden de schakelaar. Door het felle licht van de plafondlamp begint ze met haar ogen te knipperen…

'Wat spook jij zo laat nog uit?'

Céline staat levensgroot in de deuropening.

'Eh… niets… Ik wilde met Bénédicte praten. Ik wilde haar iets zeggen…'

'Kom nou toch, lieverd. Bénédicte slaapt, en dat zou jij ook moeten doen. Vooruit, gauw je bed in!'

Met tegenzin laat Mathilde zich naar haar bed brengen.

'Ik kan niet slapen…'

Een afgezaagd zinnetje doordat ze er zo vaak gebruik van heeft gemaakt, een klacht die haar moeder aanhoort, maar waar ze allang niet meer naar luistert, waarop ze zonder na te denken met eeuwig dezelfde aanmoedigingen reageert omdat ze toch íéts moet zeggen.

'Jawel hoor. Je gaat nu slapen.'

Maar vannacht is dit antwoord niet voldoende. Ook dát is afgezaagd. Ze heeft een ander, een nieuw antwoord nodig, een antwoord dat is toegesneden op de situatie, dat hout snijdt, want met Rémi is het menens, en als ze niet kan slapen is dat ook menens.

Het is niet nieuw dat haar moeder niet begrijpt hoe belangrijk iets is. Bij de dood van de hond van Félix, de verloofde van haar oma, had ze niet echt door hoe verdrietig ze was. Mathilde moest hele nachten alleen slapen, met dat verdriet tussen de lakens, ook al stopte Céline haar 's avonds in zonder er iets van te merken. Het is helemaal niet eenvoudig met een dode hond in één bed te slapen.

Al haar vriendinnetjes constateren bij hun moeder hetzelfde. En dan kan Mathilde zich nog niet over Céline beklagen. Vooral als 'hij' niet vaak genoeg of te vaak naar huis komt, ziet haar moeder minder goed hoe belangrijk iets kan zijn. Voor het overige oordeelt ze niet zo slecht…

Mathilde laat zich met tegenzin instoppen.

Ze heeft deze nacht geen verdriet tussen de lakens, maar er zijn zo veel grote problemen dat ze zich afvraagt of ze daarvoor misschien niet te klein is. En Bénédicte die vlucht, die doet alsof ze slaapt in plaats van haar te hulp te komen, wordt niet eens wakker als je het licht aandoet!

Céline ziet eruit als een moeder die wil dat haar kind gewoon zo snel mogelijk in slaap valt omdat ze wel wat anders heeft te doen.

Het is geen nacht voor ontboezemingen. Geen nacht voor vertrouwelijke mededelingen. Zijn vertrouwelijke mededelingen trouwens mogelijk met een moeder die het verschil niet ziet tussen menens en niet menens, die met de geheimen van haar dochtertje te koop loopt: 'O ja, wat Mathilde jullie nog niet heeft verteld, is dat ze een aanbidder heeft! Hij heet Rémi!'

Mathilde laat zich met tegenzin omhelzen.

Er is iets wat Mathilde heel goed kan als ze boos is: haar woede in wraakgevoelens omsmeden, ze bijpunten als haar kleurpotloden en ervoor zorgen dat de punt niet afbreekt.

'Je bent iets vergeten', zegt Mathilde als Céline het licht uitdoet.

De punt van het potlood glinstert in de duisternis.

'Wat dan? Wat ben ik vergeten?' vraagt Céline nogal ongerust, want ze weet heel goed dat ze vergeetachtig is. Ze belooft dingen die ze vervolgens vergeet.

'Je hebt niet aan mijn flesje lavendelwater gedacht.'

De punt van een potlood is niet dodelijk, maar hij doet flink pijn, als een speldenprik in het hart.

'Ja, dat is waar. Je hebt gelijk.' Céline incasseert de klap. 'Het spijt me, liefje. Echt waar. Ik zal eraan denken. Ik beloof het je!'

Alsjeblieft. Veel heeft het niet te betekenen, maar toch...

De kamerdeur gaat dicht. Mathilde kruipt onder de lakens.

Ze is tevreden. Lang duurt het niet. Onder de lakens duikt al een belangrijkere vraag op: wat als Rémi nu eens niet haar aanbidder is?

D e hut begint erop te lijken. Mathilde heeft zich belast met het zware werk, de schoonmaak, door de boel leeg te halen. Geen schop of hark, geen gieter of trapje is tegen haar energie bestand gebleven. Bénédicte, die opgetogen is over dat wat ze voor enthousiasme houdt, begrijpt niet dat Mathilde deze grote energie put uit haar razernij ten gevolge van de twijfel.

Op de allerbelangrijkste vraag heeft Mathilde nog steeds geen antwoord. Van alle vragen die dag en nacht bij haar opkomen, is het verreweg die welke haar het meest kwelt en waarover ze het minst kan spreken.

Alleen Rémi zou aan deze kwelling een einde kunnen maken, maar hij is de enige die verstek laat gaan.

Toch is het allemaal goed begonnen.

Het was gemakkelijk de moeders ervan te overtuigen dat ze eieren en kaas bij de boeren moesten kopen, zodat ze gevieren opgetogen op weg gingen naar de boerderij.

Om al te grote emoties te vermijden, drong Mathilde erop aan niet langs het veld met de zonnebloemen te lopen, maar langs de boomgaard.

Niemand leverde commentaar op haar jurkje met stippen, volgens haar de enige kleding om een einde te maken aan een zo pijnlijke onzekerheid dat het gebrek aan privacy haar in feite niet veel uitmaakte. En zelf was ze dermate in gedachten verzonken dat ze niet opmerkte dat Bénédicte zich ook op haar paasbest had uitgedost.

Léon was de eerste die haar hartelijk ontving; op haar handen ontving ze van hem dezelfde vertederende vochtige kussen als van Félix' hond.

Mevrouw Fougerolles, die zich gevleid voelde door het bezoek, gedroeg zich niet met de gebruikelijke stuursheid. De stemming werd bedorven toen ze glimlachend en in alle eenvoud zei: 'Goh, wat jammer dat mijn man er niet is om u te begroeten. Hij is met Rémi naar de stad.' Een dodelijke zin.

Al is een enkel heel goed aangepunt potlood niet dodelijk, duizend, tienduizend, honderdduizend aangepunte potloden zijn uiterst gevaarlijk voor het hart van een klein meisje. Ze zijn zelfs dodelijk.

Allemaal keken ze naar haar: mevrouw Fougerolles, Céline, Christiane en Bénédicte. Met hetzelfde spijtige gezicht. Hetzelfde medelijden.

Mathilde vond dat medeleven afschuwelijk. En ook het avondeten dat erop volgde, om maar niet te spreken van het flesje lavendelwater dat op het slechtste moment als bij toeval onder haar ser-
vet lag.

De genadeklap kreeg ze bij het naar bed gaan van Bénédicte.

'Als je wilt, kan ik je wel zeggen wat ik wél aan Rémi mag en wat
ik niet aan hem mag', zei ze zoetsappig.

'Nee, laat maar! Het kan me trouwens niks schelen', antwoordde Mathilde, zonder kwaad te zijn, maar zeer uit de hoogte.
Ze genoot van haar wraak en voelde zich veel minder levenloos
dan op de boerderij, waarmee bewezen is dat je meer of minder levenloos kunt zijn.

Christiane kwam naar boven om hen in te stoppen. Ze deed niet
alsof ze niets zag – gezegd moet worden dat Mathildes geweldige
verdriet een flinke buil onder het laken vormde – ze nam althans
een normale toon aan om haar gerust te stellen, niet de toon van
een moeder: 'Maak je geen zorgen, Mathilde. Je vriendje komt terug. Ik weet het zeker.'

Door deze zekerheid viel Mathilde heel gauw in slaap, ondanks
Bénédictes opgewondenheid, die duidelijk de slaap niet kon vat-
ten. Zo kreeg ieder zijn beurt. En het woord 'vriendje' was haar
goed bevallen. Een volmaakt woord, een en al terughoudendheid.
Moeders van andere kinderen stellen slechts zelden teleur. Ze
zou van moeder moeten veranderen. Natuurlijk niet voorgoed,
maar van tijd tot tijd. Dat geldt ook voor Bénédicte. Misschien

zou Céline die avond iets hebben gezegd waardoor ze háár opgewondenheid had kunnen voorkomen, zodat ook zíj had kunnen
slapen.

De hut begint erop te lijken, maar de volgende ochtend is ze
weer ongerust. En verdrietig.

De schoppen, harken, gieters en trapjes hebben het geweten.

Mathilde beseft heel goed dat alles wat ze doet voor Rémi is. Om
te beginnen heeft ze voor hem de hut opgeruimd. Zonder ophou-
den kijkt ze naar het pad dat naar de zonnebloemen en de boerderij
leidt. Bénédicte, die haar ogen niet in haar zak heeft, heeft het ten
slotte door.

'Ga toch naar hem toe', zegt ze lichtelijk geïrriteerd.

Mathilde schudt van nee. Nee tegen haar ongeduld, ook al zou ze
ja willen zeggen.

Het is nu aan Rémi om zich te laten zien. Zíj heeft de eerste stap
gezet. Het is aan hém de volgende stap te zetten, al kan ze zich in af-
wachting daarvan, anders dan bij de schommel, nergens meer aan
vastklampen, al zijn de twee olijfgroene ogen er niet om haar tegen
te houden en wordt het zweven riskant.

Mathilde zit uitgeput midden in de lege hut te wachten op Bénédicte, die naar huis is gegaan om water te halen.

Het stof, okerkleurig als het dak van de boerderij, kleeft aan haar
haren, aan de huid van haar bezwete armen en benen.

Het lijkt wel alsof ze met de grond, het hele grondgebied van de
Provence heeft gevochten. Een verwoede strijd tussen het ja en

het nee. Tussen de eerste en de tweede stap.

De kokette Mathilde, de keurige Mathilde is okerkleurig.

Ze voelt dat ze op deze nieuwe grond groeit.

K omt het doordat ze is gegroeid? Doordat ze het zich te vaak heeft afgevraagd, wordt Mathilde niet meer geobsedeerd door het 'stel dat…' Het interesseert haar niet meer zo. Net als een biscuitje waarvan de vier hoeken door een ander zijn afgeknaagd.

Ze heeft het gebrek aan een antwoord op haar manier opgelost.

Doordat ze niet weet of Rémi haar aanbidder is, doordat ze niet uit zijn mond heeft gehoord dát hij dat is, mag ze nu denken dat hij het is, zodat ze heel rustig is. Gewoonlijk verloopt zoiets anders. Als ze ergens haar zinnen op heeft gezet neemt haar verlangen toe, tot het tot een uitbraak, een uitbarsting komt; het antwoord, goed of slecht, moet ze direct na de uitbarsting krijgen.

Zo heeft ze het klaargespeeld dat ze naar Disneyland mocht. Zo heeft ze het niet klaargespeeld dat ze een eigen tv op haar kamer kreeg, al wilde ze die niet eens hebben om 's avonds te kijken, maar om mee te pronken.

Met Rémi gaat het werkelijk anders. Ze is bereid haar hele leven op het antwoord te wachten, want ze heeft het. Bovendien vindt ze het een voordeel dat ze de eerste stap heeft gezet, ze zou niet net als Rémi verplicht willen zijn de volgende stap te zetten.

Daardoor geniet ze weer van een heleboel dingen. Ze is verbaasd dat ze de liefkozingen weer prettig vindt, zonder zich al te veel vragen te stellen over haar gevoel van eigenwaarde, zonder daardoor te denken dat ze erop achteruitgaat of iets dergelijks. Vooral de liefkozingen voor het slapen gaan, die belangrijker zijn dan de andere, om de nacht en het steeds aanwezige risico van nieuwe builen onder haar laken tegemoet te treden.

Het spreekt vanzelf dat Bénédicte haar beste vriendin is. Ze brengt haar de subtiele kunst van het maken van kralensnoeren bij en Mathilde wijdt haar in in het beschilderen van rolstenen. Samen hebben ze een hinkelbaan van beschilderde stenen bedacht die ze in de grond hebben vastgezet. En die is zo mooi dat Christiane er foto's van heeft gemaakt. Mathilde heeft voorgesteld 'hem' een foto van de hinkelbaan te sturen en haar moeder heeft met een hanglip en een droevige mond ingestemd.

Haar moeder schijnt ook problemen te hebben met wie de volgende stap moet doen.

Heeft 'hij' haar misschien te vaak de eerste stap laten zetten?

Mathilde is niet van plan nog meer stappen in de richting van Rémi te doen, daarom geeft ze er de voorkeur aan af te wachten…

Vanzelfsprekend blijven sommige plekken gevaarlijker dan andere. Mathilde blijft de zonnebloemen achter het tuinhek uit de weg gaan. Ze weigert hardnekkig te gaan schommelen; als ze kon, zou ze het ook Bénédicte verbieden, maar die gaat domweg, zonder te beseffen dat ze daarmee heiligschennis pleegt.

Er is geen sprake van dat ze nog naar de boerderij gaat, vooral sinds ze van Christiane heeft gehoord dat Rémi terug is. Op dat punt heeft Bénédicte zich tot dusver solidair getoond. Zij gaat ook niet meer naar de boerderij om kaas en eieren te halen.

De hut, die nu heel mooi is ingericht, houdt hen de meeste tijd bezig. Bénédicte en zij hebben hun moeders heel officieel uitgenodigd voor de feestelijke opening, een soort instuif waar de pepermuntlimonade rijkelijk stroomde. Christiane heeft foto's genomen en Céline heeft erg gelachen toen ze in de hut alle keukengerei terugvond dat als bij toverslag uit het huis was verdwenen.

Die dag, de dag van de instuif, heeft ze Rémi heel erg gemist. Ze zou hebben gewild dat hij getuige was geweest van haar talenten als woninginrichtster, al had Bénédicte zich met haar indrukwekkende naaistersuitrusting met de afwerking belast.

Sinds ze op de okergele grond is gegroeid, kost het Mathilde moeite zich in haar te herkennen. Ze heeft de indruk dat ze met haar gedachten en gevoelens ver boven haar staat. Deze indruk van een verschil, zelfs tijdens een liefkozing, voelt ze: ze is tegelijk de kleine Mathilde van altijd en een andere, veel grotere Mathilde, die verlangt naar de afwezige Rémi. Op zulke ogenblikken geeft Céline haar het gevoel dat ze zowel haar moeder als haar zus is, want allebei wachten ze op iemand die niet komt, allebei houden ze hun blik op de verte gericht, op een pad waarlangs niemand aan-komt.

Eergisteren, zondag, heeft 'hij' niet als elke zondag opgebeld. De toetjesliefkozing had iets weemoedigs.

'Denk je aan "hem"?' vroeg Mathilde aan haar moeder.

'Ja', antwoordde Céline.

'Ik denk ook aan hem', zei Mathilde, en van beiden stond de mond droevig.

Toch hadden ze het niet over dezelfde 'hij'. Dat wisten ze heel goed. Maar dat gaf niet. Integendeel. Ze begrepen elkaar. Mathilde begreep haar moeder zo goed dat ze haar bijna iets vergaf wat ze besloten had haar nooit te zullen vergeven...

Vanavond is het dolle pret. Ze gaan uit eten. Christiane is op het idee van het restaurant gekomen. In de badkamer, boven, heerst de grootste opwinding.

Het staat vast: Mathilde trekt het wit kanten jurkje van Christia-ne aan en doet het kralensnoer van Bénédicte om, het snoer met in het midden de hartvormige schelp die haar ergens aan doet den-ken.

Voorafgegaan door Bénédicte, zeer origineel met haar zwarte breteljurkje dat sluit met een breed roze lint, en gevolgd door een wolk van lavendelwater waarvan ze wat al te rijkelijk gebruik heeft gemaakt, daalt Mathilde als een jonge bruid de trap af. Ze heeft de tijd zich voor te stellen hoe Rémi, nog diep onder de indruk van het jawoord dat hij haar heeft gegeven, in een rokkostuum aan haar zijde loopt. En dan staan ze in het heilige der heiligen: de badkamer beneden, waar de bedrijvigheid niet minder groot is.

Alweer is Mathilde stomverbaasd: een badkamer voor vrouwen is toch heel iets anders dan een badkamer voor meisjes. Er hangt een groot mysterie boven de warboel van flesjes, de wirwar van sieraden, de wanorde van elegante lingerie. Er hangen vooral geurtjes. Niet alleen de geurtjes van de kleren en parfums, ook die van de geheimen. Geen enkele geur is te vergelijken met die van de geheimen van een vrouw…

Christiane en Céline zijn monter en vrolijk. Ze nemen de meisjes graag op in hun rondedans voor vrouwen, het ballet neemt een aanvang.

Mathilde herkent dit ballet, ze heeft ervan gedroomd in de koude trein die haar naar de zonnebloemen bracht. Het is hetzelfde: een dans waarbij wordt gelachen en samengespannen. De dans van de opperste belofte.

Een lippenstift die van hand tot hand gaat. Kleren die worden aangepast. Toch is deze samenzweerdersdans anders. Hij is niet die van haar dromen van toen, want toen was er geen Rémi. Er ontbraken twee noten aan de partituur, de tweede en de derde van de toonladder. Ze zegt bij zichzelf dat de dansmuziek zonder de re en de mi behoorlijk vals moet hebben geklonken.

Het is waar dat haar moeder vanavond ervoor zorgt dat de opperste belofte wordt nagekomen. Ze speelt het grote spel, het spannendste van allemaal, het spel waardoor ze de kinderjaren met zand, krabben, vliegers, beignets en zelfs donuts vergeet. Ernstig. Te ernstig? Ernstig genoeg om te weten dat ze nooit meer in een schemertoestand in slaap zal vallen. Kun je trouwens zo in slaap vallen als je iemand verwacht die beslist komt, aangezien hij er al is? Van het viertal is Mathilde de kleinste, maar zij is de enige die een aanbidder heeft.

De enige wier spel menens is.

Z e is in alle staten. Ze heeft niet één badpak dat haar bevalt. Ze wil niet meer naar de rivier. Iedereen staat klaar, behalve zij. Bénédicte is het meeste klaar van allemaal. Haar hemelsblauwe badpakje staat haar beeldig, ze heeft zelfs een bijpassende elastieken haarband. Mathilde, die gebroken op haar bed ligt, kijkt naar haar badbroekjes die over de vloer verspreid liggen.

Toch pasten vóór hun vertrek, in Parijs, haar badbroekjes haar goed, maar het is overduidelijk: ze passen haar niet meer, of anders past zij niet meer bij de badbroekjes.

Het zou haar heel wat moeite kosten te zeggen aan wie ze juist nu de grootste hekel heeft: aan haar moeder of aan Bénédicte. Misschien aan haar moeder, want eigenlijk is Bénédicte niet met opzet zo overweldigend, daar is ze mee geboren. Bovendien staat Mathilde sinds gisteravond flink bij haar in het krijt. Wat Bénédicte in het restaurant heeft gedaan is fantastisch.

Maar haar moeder had aan een badpakje kunnen denken. Een badpakje, dat verandert alles. Bénédicte heeft bijvoorbeeld van boven ook niets te verbergen, maar het lijkt juist alsof ze wél iets verbergt. Mathilde kijkt naar de twee roze nopjes op haar borstjes, plat als de drukknopen van haar potlodenetui. Ze bekijkt ze onderzoekend, op dezelfde manier als Rémi er straks bij de rivier naar zal kijken. Passer, driehoek. Liniaal.

Nooit heeft ze zo naar haar borstjes gekeken, met de ogen van een jongen, met de wolfsogen van Rémi; nooit heeft ze ze zo plat gevonden.

Ze wil niet meer naar de rivier. Na zo'n lange scheiding zal hij haar opnieuw ontdekken, dat kan niet anders, hij zal haar opnieuw taxeren, dat kan niet anders. En wat zal hij zien? Een meisje met drukknopen.

Van de prettige maaltijd in het restaurant, de uitgelatenheid van de nacht en de vrolijkheid van de ochtend is door die badbroekjes niets meer over. Ze moet toegeven dat Bénédicte een te gek idee had toen ze langs haar neus weg voorstelde Rémi mee naar de rivier te nemen, zogenaamd omdat hij beslist de beste plekken kende om te baden. Voor iemand zonder fantasie was dat heel knap. Behalve dat... Behalve dat Mathilde aan haar ware bedoelingen begint te twijfelen nu de 'kunstenares' in een blauw badpakje loopt te paraderen. Maar om Bénédicte daarom van eigenbelang te verdenken... Dat zijn laag-bij-de-grondse gedachten die bij Mathilde opkomen.

Nieuw is dat niet. Verscheidene malen al heeft ze aan Bénédicte getwijfeld, want in de hut houdt ze ook op een merkwaardige manier het pad naar de zonnebloemen in de gaten. En wat haar slippertjes naar de schommel betreft…

Twijfelen aan haar beste vriendinnetje is het ergste wat haar kan overkomen. Het is zoiets als een vieze, bittere smaak in de mond. Afgezien van gekookt witlof kent ze niets wat zo bitter smaakt.

Mathilde ziet het slakkenhuis, het slakkenhuis van de bitterheid aankomen. De luchtbel, de bol, de bal van het pruilen. De enige oplossing, de enige toevlucht. Ze bereidt zich erop voor het kluwen van de melancholie op te winden, de hut voor haar alleen.

'Hé, Mathilde! Wat is er aan de hand? We staan op je te wachten!'

Céline staat bij haar bed. Ze is mooi, haar moeder, in haar wit linnen short en het zwarte bovenstuk met smalle schouderbandjes van haar bikini dat werkelijk iets aan het oog onttrekt. Mathilde weet het: de borsten van haar moeder zijn indrukwekkend. Ze is mooi met haar gebronsde huid en haar zonnebril met schildpaddenmontuur. Om dat te bereiken heeft zijzelf waarschijnlijk jaren nodig.

Mathilde geeft geen antwoord. Ze kijkt naar haar drukknopen.

'Kom nou! Wat heb je toch?' vraagt Céline ongeduldig.

Dat 'toch' is te veel. Céline kan het niet helpen. In bijna alles wat ze zegt zit een overbodig woord. Dat is haar manier van doen. Maar voor de anderen is het niet leuk. Ook 'hij' heeft zich vaak opgewonden over een overbodig woord…

Mathilde trekt alles in: haar hoofd, haar schouders, haar knieën.

Ze bereidt zich erop voor in het slakkenhuis te kruipen.

'Ik wil ook een bovenstuk. Een bovenstuk bij mijn zwembroekje. Ik wil een badpak!'

'Maar liefje toch... Dat heb je niet nodig! Een zwembroekje staat je heel goed!'

'Jawel, dat heb ik wel nodig! Bénédicte heeft er ook een!'

Mathilde voelt dat haar moeder gaat antwoorden dat Bénédicte groter is. Dat ze recht heeft op een badpak.

Als dat zo doorgaat moet ze er een met een aangepunt potlood tekenen. De woede in wraak omsmeden.

Maar tegen alle verwachting in slaat Céline om als een blad aan de boom. Ze glimlacht tegen haar dochtertje.

'Oké. Afgesproken. Je krijgt er een. Maar vergeet niet dat we een afspraak hebben met Rémi.' Bijna had ze gezegd: 'Met jouw Rémi.' 'En we zijn al heel erg aan de late kant!'

Mathilde kijkt naar haar moeder, die blijft glimlachen. Opeens begint ze te huilen. Een waterval! Mathilde huilt zo verschrikkelijk, zo vanuit haar binnenste dat ze niet meer weet wat ze doet. Ze is een stroom, een vloedgolf, een zee van verdriet die zouter is dan de oceaan in de zomer...

Als ze weer tot zichzelf komt, staat Céline opnieuw naast haar met een soort roze bovenlijfje van gefronste stroken en een van Mathildes eigen badbroekjes in dezelfde kleur. Het geheel is zo mooi dat Mathilde het zou kunnen begeven van plezier, maar ook van zwakte, want de tranen hebben haar uitgeput.

Als ze onder applaus naar beneden komt, komt er een einde aan haar tranen en haar springvloed van verdriet.

Is het verbeelding of heeft ze echt gevoeld dat de twee drukknopen onder het bovenlijfje bewogen?

Rémi loopt als een padvinder voorop, gevolgd door Mathilde. Een paar meter achter hen volgen zij aan zij Bénédicte en Céline. Christiane sluit de stoet met de rugzak voor de picknick.

Rémi heeft zijn gympakje aan, maar zonder het T-shirt, dat om zijn middel hangt.

Van achteren is hij de knapste jongen die ze ooit heeft gezien. Hij is ook de eerste in wie ze zin heeft als in een Mars, maar beter, want een Mars eet je op, terwijl ze Rémi kan verslinden zonder ooit genoeg van hem te krijgen, en niet alleen met haar mond, maar ook met haar ogen en oren, en zelfs in gedachte. Ook in de auto verlangde ze naar hem als in de bochten hun knieën elkaar aanraakten, uit elkaar gingen en elkaar opnieuw aanraakten.

Bénédicte heeft alles gezien, wat niets aan haar plezier afdeed, integendeel. Ze hoopte vast en zeker dat Rémi door de bochten haar kant op zou vallen. Maar schommelen en zweven is werkelijk Rémi's en Mathildes specialiteit. Dat is waarin ze samen het sterkst zijn. Dus, Bénédicte…

De zon begint te branden. Rémi schijnt er zich niet om te bekommeren, net zomin als om het groepje dat hij naar een plek brengt dat hij als enige kent en waarover hij erg mysterieus heeft gedaan.

Vreemd: Mathilde heeft het gevoel dat ze zo haar hele leven achter Rémi aan heeft gelopen. Dat ze nooit iets anders heeft gedaan dan hem te volgen op het door de zon verwarmde pad, waar het gonst van de insecten en met de gedachte aan een rivier aan het einde.

Ze hebben elkaar niet meer gezien sinds de ontmoeting tussen de bevuilde geiten op de boerderij, niet meer gezien sinds de talloze keren dat ze bij zichzelf zei: 'Stel dat...' De talloze keren dat Mathilde zelf veranderde in een meisje dat huilt en een meisje dat lacht, in een meisje dat twijfelt en een meisje dat niet meer twijfelt. De scheiding moest werkelijk erg lang hebben geduurd dat ze haar drukknopen voelde bewegen. Als haar moeder, die zulke volmaakte borsten heeft, nu eens in haar roze lijfje het recept heeft achtergelaten om de borstjes van haar dochtertje te laten groeien? Dat zou trouwens normaal zijn als ze van haar kind houdt en het opvoedt tot een vrouw.

Toen hij zich in de bochten naar Mathilde overboog en hun knieën elkaar aanraakten, keek hij meer dan eens in haar bovenlijfje. Alsof hij bij zichzelf te rade ging. Alsof ook hij gehoord had van het befaamde recept dat van moeder op dochter overgaat.

'Zijn we er bijna?' vraagt Mathilde, bij wie de kleur van de schouders en armen begint te wedijveren met die van het bovenlijfje, hoewel haar moeder haar uit voorzorg met zonnebrand-crème heeft ingesmeerd.

'Ja. We zijn er zo. Luister maar', antwoordt Rémi als een ware aanvoerder, en zonder om te kijken.

Mathilde luistert. Eerst hoort ze niets door het zoemen van de insecten. Daarna hoort ze het. De rivier is heel dichtbij…

'Luister maar', zei Rémi. Nu ze luistert, begrijpt ze waarom hij dat zei. Rémi's rivier doet iets wat de Seine, die zich stom onder de bruggen van Parijs uitstrekt, en de oceaan, die onvermoeibaar bruisend op de rotsen of het zand stukslaat, niet kunnen: Rémi's rivier zingt.

Ze zingt een beetje als de stem van Rémi.

Mathilde blijft staan. Bénédicte haalt haar moeizaam in. De moeders liggen ver achter. Bénédicte lijkt geïrriteerd. Ze klaagt dat ze het heel warm heeft, dat haar voeten erg zeer doen doordat haar tennisschoenen in de wasmachine zijn gekrompen na de tocht naar de geitenkeutels, en dat voor Rémi – ze legt goed de nadruk op 'voor Rémi'.

'Heb je dat gehoord?' onderbreekt Mathilde haar.

'Wat?' vraagt de mopperaarster.

'De rivier! Hoor je niet hoe ze zingt?'

'Gewoon, het geluid van water. Het werd ook tijd!'

Net als bij de zonnebloemen. Bénédicte voelt en hoort niets. Werkelijk niets.

Mathilde kijkt weer voor zich. Rémi is net tussen de bomen afgeslagen. Hollen. Snel. Tegelijk met hem bij de rivier aankomen. Zeggen tegen Rémi dat ze de rivier heeft horen zingen. Hem zeggen. Hem zeggen…

Ineens houdt de emotie haar staande: ze bevindt zich tegenover iets wat ze nog nooit heeft gezien. Zo heeft ze zich de rivier niet voorgesteld, niet als een reusachtige beek die zich van een steile rotswand over duizenden als xylofoons klinkende stenen naar beneden stort. Maar het mooist van al vindt ze nog de jongen die in een marineblauwe short op een rots midden in het water in de zon staat te stralen.

Alweer die betovering, dezelfde als bij de zonnebloemen, alweer die duizeling. Mathilde vraagt zich af of de zon niet dankzij Rémi straalt, of de stenen niet door hem feller glinsteren.

Opnieuw houdt ze haar rechterhand boven haar ogen om dat felle zonlicht en de jongen tegemoet te treden. Haar moeder is er niet om haar tegen te houden. Dat zou ze trouwens niet willen. Ze wil alleen naar Rémi toe gaan. En omdat ze alleen is, doet ze het.

Mathilde loopt door de rivier, met haar tennisschoenen aan; die zijn niet in de wasmachine gekrompen om de eenvoudige reden dat ze niet alleen de geitenkeutels niet smerig vond, maar ook omdat ze ze niet wilde verwijderen en ze bij wijze van aandenken wilde bewaren…

De stemmen van Bénédicte, Céline en Christiane komen achter de bomen naderbij. Mathilde blijft doorlopen. Dat ze nog steeds vaste grond onder de voeten heeft, verbaast haar zeer. Het stromende, zingende water staat niet hoger dan haar kuiten. En het is zo koud dat het bijna heet is. In het geheel geen slib. Geen slijmerig gras. Het water is transparant als glas, maar het is een glas dat niet breekt, zelfs niet op de stenen.

Rémi kijkt naar Mathilde, die over de vaak gladde rolstenen in zijn richting strompelt. Hij heeft niet de spottende blik die hij op de dag van de geitenkeutels op zijn geroeste melkbus had. Hij kijkt naar haar zoals toen hij ondersteboven boven de schommel hing, behalve dat hij nu rechtop staat.

Eindelijk steekt hij haar een hand toe voor de laatste meter die hen nog scheidt, zijn hand met de vierkante vingertoppen waarmee hij een tractor bestuurt. Hij wil dat ze op de rots springt. Dat ze naar hem toe vliegt. Mathilde vindt dat hun acrobatennummer, het nummer van de acrobaten van de liefde, tromgeroffel waard is, net als in het circus.

Mathildes sprong komt overeen met de onverschrokkenheid van haar hart, dat onder het roze bovenlijfje zijn tamtam weggeeft.

Nu staat ze op Rémi's rots. Nu staan ze allebei te stralen, hand in hand, schouder aan schouder, bovenbeen tegen bovenbeen, tamtam tegen tamtam. Tegen elkaar aan. Mathilde tegen Rémi aan, Rémi tegen Mathilde aan, voor Mathilde een andere huid dan die van haar moeder. Rémi's huid is tegelijkertijd zacht en ruw, ruw vooral bij de ellebogen en de knieën. Maar het grote verschil met haar moeder is het gevoel dat de blonde haartjes op haar armen en benen recht overeind gaan staan.

'Wat gek! Ik heb het niet koud, en toch heb ik kippenvel', zegt Mathilde onthutst.

'Kippenvel krijg je niet als je 't koud hebt, dat krijg je als je met iemand samen bent van wie je houdt', antwoordt Rémi heel zelfverzekerd. 'Jij hebt kippenvel, Thilde, en ik heb hanenvel', voegt hij er zowat dubbel liggend van het lachen aan toe.

Mathilde zou ook graag willen lachen, maar ze houdt zich in omdat ze bang is van de rots te vallen precies op het moment dat de anderen aankomen. In elk geval weet ze nu dat zij degene is van wie Rémi houdt…

Vanaf de oever, waar ze in vervoering zijn van de rivier, staan Céline en Christiane naar haar en Rémi te kijken. Ze lijken heel vertederd. Maar ze moeten niet overdrijven. Mathilde is vastbesloten hun privacy veilig te stellen. Geen woord bijvoorbeeld over het kippen- en hanenvel. Het feit dat ze zelf geen aanbidders hebben, geeft hun geen rechten op de enige aanbidder in actie. Een aanbidder kun je niet delen als snoepjes, waarvan het bekend is dat het al heel moeilijk is er iets van aan een ander te geven, vooral toffees. De aanbidder hier is Rémi, en hij is de hare.

Bénédicte mokt. Begrijpelijk. Tenslotte zit haar blauwe badpakje zo goed, zo strak dat je ziet dat ze niets te verbergen heeft. Rémi heeft het dankzij zijn instrumenten – passer, driehoek, liniaal – natuurlijk meteen gezien toen hij in de auto tussen hen in ging zitten. Bénédicte had daardoor weinig kans het te winnen van Mathilde met haar roze bovenlijfje van gefronste stroken, waarin het recept van haar moeder verborgen zit.

In feite wordt en blijft een jongen verliefd dankzij de kleinste kleinigheden. Niet door grote woorden. En voor de meisjes geldt hetzelfde met betrekking tot de jongens. Zo heeft de ontbrekende tand haar in het begin bijna ontmoedigd, terwijl ze dat nu heel mooi vindt. Ze moet trouwens eens aan Rémi vragen wat hem bij haar het meeste bevalt, aangezien hij vandaag hanenvel krijgt als ze elkaar aanraken.

Haar moeder heeft waarschijnlijk te weinig aandacht geschonken aan haar eigen kleinigheden dat 'hij' zo vaak weg is. 'Hij' heeft beslist genoeg gekregen van haar grote woorden, haar woorden, altijd al Célines zwakke punt...

Bénédicte, die alleen is en naar de rivier kijkt waarvan ze niet eens de muziek hoort, is toch meelijwekkend om te zien. Mathilde vindt dat niet eerlijk.

'Zullen we Bénédicte vragen hierheen te komen?' vraagt ze nogal lauwhartig bij de gedachte dat ze dan Rémi met haar moet delen.

'Als je wilt', antwoordt Rémi. 'Er is wel voor drie man plaats op de bewegende kop.'

'De bewegende kop?'

'Ja! De rots natuurlijk. Als je er vanuit de verte naar kijkt, beweegt zijn kop.'

'Maar van dichtbij toch niet, hè?' vraagt Mathilde ongerust, want achter de rots heeft ze een groot gat opgemerkt waar het water heel diep lijkt.

'Ben je bang?' vraagt Rémi, die met alle geweld schijnt te willen dat ze bang is.

'Nee, ik ben niet bang… Een heel klein beetje maar', antwoordt ze weer, want het klopt: een beetje maar is een beetje maar, niet meer en niet minder.

Nu moet Bénédicte door het water waden. Ook zij heeft haar tennisschoenen aangehouden omdat Rémi heeft gezegd dat dat vanwege de rolstenen de gewoonte is, maar Mathilde denkt dat het haar stoort dat ze opnieuw nat worden: bij elke stap trekt ze een grimas.

Rémi steekt ook haar een hand toe om haar te helpen de bewegende kop te beklimmen, maar Mathilde houdt het in de gaten: gelukkig kijkt hij niet op een speciale manier naar haar. Hij kijkt naar haar als naar een kameraadje.

Ze kraaien alle drie van plezier, ze houden zich aan elkaar vast en dreigen ermee elkaar in het grote gat achter de rots te duwen, tot Rémi er voor de ogen van de beide meisjes in een daad van ongekende bravoure in springt. Mathilde staat versteld van zo veel onverschrokkenheid. Ze is trots dat die dappere jongen haar aanbidder is.

'Kom op, Thilde!' roept de held, terwijl hij hen kletsnat spat.

'Kun je daar staan?' vraagt ze ongerust.

'Natuurlijk kun je hier staan!' antwoordt Rémi met een schijnheilige stem waartoe alleen jongens in staat zijn om de meisjes van ongeacht wat te overtuigen.

Als hij de waarheid sprak, zou hij in het water spugen, en dat doet hij niet.

Maar Rémi is meer dan een jongen en zij meer dan een meisje als hij erbij is. Met Rémi moet ze zichzelf overtreffen: de zweeftocht kent geen grenzen. Hoog boven een ceder van de Libanon naar de hemel vliegen of zich van een bewegende rots diep in een gat met ijskoud water storten: er is geen verschil. Duizelen is hun manier om elkaar te ontmoeten. Het gevaar is hun afspraak. Het belangrijkste is dat ze verblind raakt, net als wanneer ze in de zon kijkt.

Mathilde heeft nu twee zonnen in haar leven: de echte, die 's avonds ondergaat, en Rémi, die nooit ondergaat, want in gedachte verlangt ze naar hem, dus ook als ze slaapt, aangezien het schijnt dat je zelfs in de slaap blijft denken.

'Nou, Thilde! Kom je of kom je niet?'

'Ik kom!' roept Mathilde om zichzelf moed in te spreken.

Maar eerst kijkt ze even om naar haar moeder, die haar niet uit het oog heeft verloren, al lijkt het alsof ze op haar baddoek ligt te slapen. Een moeder is altijd waakzaam. Je kunt op haar rekenen op het moment van de grote sprong, bijvoorbeeld in een gat met ijskoud water.

Een liefkozing met de vingertoppen. Een liefkozing met de volle hand. Een liefkozing vanuit de verte.

Tromgeroffel... Ze springt.

Gedurende een paar eindeloze seconden bedenkt ze dat ze op twee manieren kan sterven: van de kou of door te stikken. Maar Rémi kiest voor haar een derde oplossing, die haar in elk opzicht beter lijkt.

'Hou je stevig aan mij vast, Thilde!'

Dus houdt ze zich aan hem vast. Ze klampt zich vast aan Rémi, met haar handen om zijn nek en haar benen om zijn middel geslagen. Ze houdt zich aan hem vast zoals ze zich lang geleden, toen ze nog niet wist hoe ze met de blauwe reddingsgordel moest omgaan, in de golven van de oceaan aan 'hem' vasthield. Nee, dat klopt niet. Niet zoals aan hem. Aan een vader klamp je je vast, Rémi omstrengel je. Tenzij Rémi háár omstrengelt, want ook hij legt zijn handen in Mathildes nek, ook hij slaat zijn benen om haar middel. Ze weet niet meer van wie die vier armen en benen zijn, zozeer omstrengelen ze elkaar. Mathilde had niet kunnen denken dat een jongen en een meisje zich zo stevig tegen elkaar aan zouden kunnen drukken.

Boven hun hoofden zit Bénédicte op de rots stomverbaasd naar hen te kijken. Door haar natte bovenlijfje heen voelt Mathilde de natte tamboer van Rémi. Hun monden glimlachen naar elkaar.

Rémi ontbloot daarbij al zijn tanden min één. Maar deze keer steekt Mathilde het roze puntje van haar tong in het gat waar Rémi's tand ontbreekt. Alleen maar om te voelen hoe dat is.

Nu ze samen in het ijskoude water van de rivier een knoop hebben gevormd en zij met het roze puntje van haar tong heeft geproefd hoe Rémi's glimlach smaakt, zou Mathilde niet meer weten wat hen nog zou kunnen scheiden. Het is trouwens algemeen bekend: 'Mathilde en Rémi zijn onafscheidelijk!' Iedereen zegt het: de Fougerolles zeggen het, de moeders zeggen het, Bénédicte zegt het. En al zegt de hond Léon het niet, hij weet het. Niemand schijnt het onbehoorlijk te vinden. Ze zijn er zo aan gewend hen samen te zien dat ze zich zorgen maken als een van de twee ontbreekt.

Bénédicte is de enige in deze geschiedenis die echt in het nadeel is: haar hoop Rémi te verleiden lijkt te zijn vervlogen, hoewel Mathilde in dat opzicht waakzaam blijft, want Bénédicte blijft indrukwekkend, maar ze heeft niet meer het overwicht op haar vriendinnetje dat ze tot dusver had.

Om niet achter te blijven, en ook omdat ze er ondanks alles rechten aan kon ontlenen op de eerste rij te hebben gezeten, alles te hebben gezien, maakte ze van de gelegenheid gebruik om naar hen te blijven kijken en min of meer op de achtergrond bij hun ontmoetingen aanwezig te zijn.

Aanvankelijk irriteerde Bénédictes ongegeneerdheid Mathilde, maar omdat Rémi er weinig last van leek te hebben, raakte ook Mathilde eraan gewend en ging ze zelfs zover dat ze Bénédicte op de hoogte stelde van bepaalde afspraken, waarbij ze haar echter een rol in de enscenering toebedeelde. Soms heeft ze het recht om toe te kijken. Soms mag ze luisteren. Soms mag ze allebei, afhankelijk van de situatie.

Bij de rivier, waar ze steeds vaker gaan picknicken, zit Bénédicte vooral op de eerste rij. Ze is aanwezig, zowel bij de werkzaamheden om waterkuilen te vergroten of waterkeringen op te werpen als bij het zonnebaden op een enigszins afgelegen platte rots, waar ze net als Mathilde vol bewondering kan zien hoe snel Rémi bruin wordt en kan dromen bij de diepe uitsnijding van zijn gymbroekje, hoewel ze allebei beslist weten wat hij erin heeft, want alle jongens hebben hetzelfde.

Een paar dagen geleden, toen ze in de tuin tomaten plukten, heeft Rémi hun verteld dat tomaten in het Italiaans 'goudappeltjes' heten. Meneer Fougerolles heeft het hem gezegd, en hem kunnen ze geloven, hij is er op huwelijksreis geweest. Mathilde en Rémi wilden in dezelfde tomaat happen. Het warme sap droop ervan af. Het leek wel bloed. Toen Rémi Mathildes kin en hals aflikte, maar ook haar knie, die onder de pitjes zat, ging Bénédicte ermee akkoord vijf passen achteruit te gaan, wat hun een billijke afstand leek, zodat ze erbij aanwezig kon zijn zonder al te zeer te storen.

Een andere keer, op de terugweg van de boerderij, heeft Rémi hun een andere weg gewezen om naar huis te gaan. Tot Mathildes grote verrassing ontdekten ze daar boterbloemen. Rémi, die alles weet over vruchten, bloemen en alles wat er in de natuur groeit, vertelde hun dat boterbloemen niet alleen in het noorden voorkomen, zoals Mathildes juf zei, maar overal.

Mathilde greep de gelegenheid aan om Rémi iets te vertellen waarvan hij ondanks zijn grote kennis van de bloemenwereld in het geheel niet op de hoogte was. Maar tevoren eiste ze dat Bénédicte zich minstens twintig passen verwijderde, wat deze met grote tegenzin deed, omdat ze alles van boterbloemen afwist en zijzelf het aan Mathilde had verteld.

Mathilde plukte een boterbloem. Nadat Rémi zich op zijn rug in het gras had moeten uitstrekken, ging ze schrijlings op hem zitten, waarna ze de boterbloem steeds dichter bij zijn kin hield.

'Wat doe je toch?' vroeg Rémi.

'Ik kijk of je van boter houdt', antwoordde Mathilde geheimzinnig.

'En?'

'Je houdt van boter.'

'Hoe weet je dat?' vroeg Rémi gefascineerd.

'Omdat je kin de boterbloem weerkaatst. Daar kun je niets aan doen, zo is het nu eenmaal. Als je kin geel wordt, hou je van boter.'

Rémi leek dit op prijs te stellen.

'En jij, hou jij van boter?' vroeg hij.

'Kijk zelf maar.'

Mathilde ging op haar beurt in het gras liggen. Rémi, die schrijlings op haar zat, hield de boterbloem steeds dichter bij haar kin. 'Ja, jij houdt ook van boter!' riep hij heel tevreden uit.

Ze lachten. Daarna lachten ze helemaal niet meer. Ze werden heel ernstig – niet treurig, alleen maar ernstig – omdat ze tegelijk aan hetzelfde dachten. Als een jongen en een meisje allebei zo overduidelijk van boter houden, betekent dat natuurlijk dat ze van elkaar houden.

Rémi zei niets. Zij zei ook niets meer. Ze bleven alleen maar aan hetzelfde denken, maar zo sterk dat Mathilde een gevoel had dat ze zichzelf ook niet kon verklaren, het gevoel dat ze door hetzelfde te denken, met Rémi's gewicht op haar buik, met haar ribben ingeklemd tussen zijn knieën, met zijn ogen op de hare gericht, met zijn zwijgende mond boven haar zwijgende mond, Rémi werd, Rémi was.

En Rémi? Was hij Mathilde? Natuurlijk. Natuurlijk was hij Mathilde, dat was goed te zien. Dat gevoel instandhouden. Besluiten het nooit meer te vergeten. Elkaar zweren dat een ander later nooit jou wordt, dat jij nooit een ander wordt, zoals Rémi en Mathilde nu.

'Nou! Komt er nog wat van?'

Bénédicte… Bénédicte die ongeduldig werd… Op een afstand

van twintig passen. Van kilometers. Op een andere planeet.

'Kan ik komen?' vroeg het buitenaardse wezen.

Rémi kwam heel langzaam overeind. Alsof hij uit de slaap ontwaakte. 'Ja, kom maar', antwoordde hij met een heel vreemde stem, waarna hij zich, eensklaps wild, heel erg als een wolf, twintig passen verwijderde.

Bénédicte kwam naderbij. Mathilde, die in het gras lag, voelde nog steeds het gewicht van Rémi, die schrijlings op haar zat.

'Het heeft wel lang geduurd', merkte Bénédicte op.

'Ja…' gaf Mathilde toe.

'Wat hebben jullie gedaan?' drong ze aan.

'Niets… We hebben niets gedaan', antwoordde Mathilde, die bij zichzelf zei dat dit zowel waar als niet waar was.

Bénédicte vroeg niet verder. Het was goed te zien dat ze niet overtuigd was. Ze hielp haar vriendinnetje overeind, want dat kostte Mathilde moeite.

Ze gingen naar huis, Rémi voorop, de meisjes achter hem aan, zonder een woord te zeggen. Bénédicte durfde het stilzwijgen niet te verbreken. Hoewel ongevoelig voor onverklaarbare verschijnselen, niet in staat tot zwijmelen voor tekens die haar verstand te boven gaan, begreep ze toch dat het een plechtig moment was.

Rémi wees Célines aanbod van een pepermuntlimonade af, hoewel hij van pepermuntlimonade hield als Céline die met biscuitjes of boterhammen opdiende. Mathilde merkte dat het tussen hen klikte.

Céline laat geen gelegenheid voorbijgaan om hem over zijn bol te strijken. Elke keer als Rémi zijn ogen op Céline vestigt, is het niet alleen alsof hij haar taxeert met al zijn instrumenten – de passer, de driehoek, de liniaal, calqueerpapier, carbonpapier, millimeterpapier – maar alsof hij haar ernstig ondervraagt, alsof hij haar nodig heeft om zich iets of iemand in herinnering te roepen.

Rémi wilde dus geen pepermuntlimonade en ging weg. Maar na zeven stappen te hebben gezet, draaide hij zich om en keken Mathilde en hij elkaar aan. Ze telden die zeven passen samen af, het is een ritueel alvorens een laatste maal naar elkaar te kijken alsof het werkelijk voor het laatst is.

Mathilde dronk behalve haar eigen pepermuntlimonade ook die van Rémi op.

'Jij mag Rémi wel, nietwaar mama?' vroeg Mathilde, terwijl ze haar glas neerzette.

'Ja, ik mag hem heel erg graag. Hij is een aardige jongen', antwoordde Céline.

Mathilde vond het woord 'aardig' wel erg gewoontjes – je kon wel zien dat Céline Rémi niet echt goed kende – maar ze stapte over die grove inschattingsfout heen alvorens eraan toe te voegen: 'Vind je niet dat hij vreemd onderzoekend naar jou kijkt?'

Gewoonlijk is haar moeder het niet met haar eens, maar deze keer was ze dat wel; zij en Christiane wisselden een blik van verstandhouding uit, een van die blikken van moeders die alles weten, maar niets zeggen… Die hun dochters buitensluiten, ook al zijn ze groter geworden…

Er is een plek, één enkele, waar Bénédicte nooit wordt uitgenodigd, noch om te kijken noch om te luisteren, en nog minder voor allebei tegelijk: het hek bij de zonnebloemen. Mathilde en Rémi ontmoeten elkaar daar in het grootste geheim boven het veld met uitzicht op de boerderij. Daar volgen ze de magische en nochtans onzichtbare beweging van de duizenden naar de zon geheven koppen en luisteren ze hand in hand.

Mathilde heeft Rémi van haar eerste ontmoeting met de zonnebloemen, met het absolute geel verteld. Nu willen ze samen de duizeling delen die de kinderjaren aan het wankelen brengt. Bijna dagelijks leert Mathilde dankzij Rémi een nieuw woord uit de bloementaal, want Rémi hoort de zonnebloemen al zijn hele leven praten.

Mathilde vindt het daarentegen goed dat ze hem het geheim van haar boterbloem heeft onthuld.

Het stond onder de brief die oma uit Sevilla stuurde: 'De foto is voor Mathilde.'

Het is de eerste keer dat ze het recht heeft op een foto voor haar alleen. Heel trots heeft ze de foto als een trofee op haar secretaire geplaatst, naast de prachtige roze steen die Rémi met een ware doodsverachting voor haar heeft opgevist uit een waterkuil in de rivier, waar ze nooit komt vanwege de forellen die op een bezeten en vraatzuchtige manier de leegte verzwelgen.

Op de foto zit oma naast Félix, haar verloofde, op het terras van een café. Ze heeft de rode omslagdoek met franjes om waarin Mathilde zich zo graag als zigeunerin verkleedde. Félix heeft zijn lange witte sjaal om. Het is niet te zien naar wie ze glimlachen, maar ze lijken erg gelukkig en houden elkaar bij de hand zoals Mathilde en Rémi doen als ze samen naar de zonnebloemen kijken.

'Wie is dat?' vroeg Bénédicte, die nieuwsgierig was.

'Dat is mijn oma met haar aanbidder', antwoordde Mathilde, op haar hoede.

Bénédicte deed er verder het zwijgen toe. Ze durfde niet te zeggen dat die twee wat aan de oude kant waren om gelukkig te zijn. Maar goed ook.

Hoe vaker ze naar de foto kijkt, hoe meer Mathilde ervan overtuigd raakt dat oma het weet van Rémi. Heel eenvoudig: oma weet alles eerder dan de anderen. Ze is een beetje een helderziende, maar een aardige helderziende die alleen goede dingen voorspelt. Over slechte dingen laat ze zich nooit uit. Ze zeggen dat Sevilla ver weg is, maar dat is geen reden. Oma kan de dingen heel goed aanvoelen, ondanks de afstand, vooral als het om Mathilde gaat, en al helemaal als het voor Mathilde om zoiets belangrijks gaat als Rémi. Zou oma haar trouwens de foto met haar aanbidder hebben gestuurd als ze niet had vermoed dat haar kleindochtertje er ook een heeft?

Verliefde mensen begrijpen elkaar.

Mathilde heeft besloten oma te antwoorden. Haar alles te vertellen over Rémi en haar, het duizelingwekkende vanaf het begin voor haar te tekenen. De boerderij, de geiten, de tractor, de schommel, de rivier. Onder haar potloden heeft ze de meest gele uitgekozen, zodat de zonnebloemen duizelingwekkend worden. Er is geen plaats meer voor de abrikozenbomen en het huis, maar dat is geen probleem, want oma kent het huis al.

Mathilde heeft zichzelf zoals gewoonlijk in het midden van de tekening afgebeeld. Ze heeft lang geaarzeld tussen het jurkje met de stippen en het roze bovenlijfje en uiteindelijk voor het jurkje met de stippen gekozen om de kleur, om de artistieke eisen van haar tekening. Het kost haar veel moeite Rémi in zijn matrozen-pakje te tekenen en hem zijn tanden min één te laten bloot lachen. Mathilde rekent op oma om hem zich zonder die tand voor te stellen. Ze hoopt dat Félix haar werkstuk als een kenner zal weten te waarderen, want hij is ook schilder. Ook met het oog op Félix heeft ze er de voorkeur aan gegeven Léon niet af te beelden, uit angst dat de gelijkenis met zijn dode hond hem een beetje verdriet zou doen. Céline heeft beloofd de tekening naar Parijs te zullen sturen omdat oma en Félix binnenkort weer naar huis gaan.

Toen Céline het einde van oma's en Félix' reis naar Sevilla ter sprake bracht, ging er een soort huivering door Mathilde heen, on-danks de hitte. Het was voor het eerst sinds ze hier waren dat er ge-sproken werd over een mogelijke terugkeer naar Parijs, ook al be-trof het niet henzelf. Dat idee kwam zo hard aan dat ze haar best deed het te vergeten en al haar energie besteedde aan het bouwen van een stuwdam, waardoor ze in de rivier een waterval met een niet al te diep bekken kregen, 'zonder forellen', beloofde Rémi, waarbij hij krachtig spuugde op de plek van hun toekomstige zwembad, dat Mathilde nu nog niet tegen alle oceanen ter wereld zou willen inruilen.

Vanmiddag heeft de inhuldiging plaatsgevonden van de water-val, die dankzij uitputtende werkzaamheden tot stand is gekomen. Rémi heeft deze verricht met een lichaamskracht die Mathilde heel erg bekoort, want naast hem ontdekt ze hoe verdeeld de gaven tussen meisjes en jongens zijn; ze ontdekt daardoor tevens het grote genoegen dat zij een meisje is en niets anders zou willen zijn.

Ook de moeders profiteren van de waterval; ze zeggen dat dat erg goed is voor hun lijn, iets wat hen zozeer bezighoudt dat ze het vieruurtje vergeten of althans veinzen te vergeten, een vergeetachtigheid die Bénédicte, die nog steeds kieskauwt, niets uitmaakt, maar Mathilde en Rémi wél.

Als ze bij elkaar zijn hebben ze voortdurend trek, en niet alleen in biscuitjes. Het is waar: ze blijven elkaar maar likken, aflikken en aflebberen. Mathilde vindt dat Rémi's huid een beetje naar zoute pinda's smaakt. Hij van zijn kant beweert dat Mathildes huid hem aan vanille doet denken. Mathilde vindt het logisch dat een meisje zoeter smaakt dan een jongen, al kan ze niet uitleggen waarom.

Als ze al te opvallend aan elkaar zitten, wendt Bénédicte zich af alsof ze van hen walgt. Wat kan Bénédicte begrijpen van een verlangen dat zij zelfs niet naar een boterham met jam heeft? In elk geval is het heel nieuw voor Mathilde naar een jongen te verlangen als naar iets eetbaars…

Vanavond, na uren bij de rivier te hebben doorgebracht, zijn ze erg moe. De moeders en hun dochtertjes zijn in de salon neergeploft. De moeders luisteren naar muziek, de meisjes doen verstrooid het kwartetspel van de zeven families, maar Mathilde is zo lusteloos dat ze drie keer om vader Lagonflette vraagt, een kaart die ze al in handen heeft. Rémi heeft haar gezegd dat hij vóór het avondeten niet naar de zonnebloemen zou komen. Op de boerderij hebben ze hem vanavond weer nodig voor de geiten. Ze zijn er al een paar dagen niet meer geweest. Maar hij heeft beloofd dat hij zou proberen morgenochtend naar het hek te komen.

Misschien komt het doordat Mathilde al drie keer naar vader Lagonflette heeft gevraagd dat haar eigen vader opbelt, want de telefoon gaat. 'Hij' is het.

Mathilde stort zich erop. Ze wil de eerste zijn. Telkens wanneer hij opbelt is het hetzelfde liedje: ze wil graag met 'hem' over Rémi praten, maar het lukt haar niet. Ze is bang dat hij haar uitlacht of een standje geeft, in elk geval dat het hem niet bevalt, ook al is haar moeder het ermee eens.

Daarom brengt Mathilde verslag uit van alles wat ze heeft gedaan, maar zonder Rémi, wat natuurlijk helemaal niet hetzelfde is. De stuwdam en waterval met Bénédicte als aannemer is niet geloofwaardig, maar hij hoort alles aan, zonder iets te vermoeden.

Céline heeft waarschijnlijk opgemerkt hoe terughoudend haar dochtertje is waar het om Rémi gaat, want ook zij zegt niets. Vrouwen begrijpen elkaar! Maar haar terughoudendheid heeft nadelen: door het wezenlijke te verzwijgen ontstaat er een veel grotere afstand tussen Mathilde en 'hem' dan zij zou wensen, nog afgezien van het aantal kilometers, dat ze al buitensporig hoog vindt. Kortom: ze blijft weifelen tussen bekennen en niet bekennen. Aan het slot van het gesprek geven Mathilde en 'hij' elkaar ontelbare kusjes.

'Geef je me je moeder even?' vraagt hij zoals gewoonlijk na het hartelijke gesprek op een heel andere toon.

En Céline neemt het van haar over, zoals altijd met de stem van iemand die woedend is, die al heel lang woedend is maar het niet wil laten merken.

'Ja. Wij ook... We gaan weer naar huis...'

Het is een gewoon zinnetje, maar het is het dodelijkste. Zonder het te weten heeft haar moeder gewoon een soort kindermoord gepleegd. Dat 'we gaan weer naar huis' treft Mathilde op een dodelijke manier met een heel spitse punt, erger dan die van een potlood.

Mathilde voelt zich ijskoud worden op de plek waar de punt haar raakt.

Ze moet naar buiten, zich verwarmen in de avondzon...

'Moet je de zoon Vermicelle nog hebben? Ik heb hem!' zegt Bénédicte, die haar vriendin ziet weggaan zonder te begrijpen dat de familie Vermicelle en families in het algemeen Mathilde gestolen kunnen worden.

Het tuinpad is duizelingwekkend. De hele tuin is duizelingwekkend. En achterin, als ze eindelijk bij het hek van de zonnebloemen aankomt, wankelt ze...

Mathilde weet dat op dit uur van de dag, als de zon ondergaat, de zonnebloemen haar de rug toekeren. Rémi heeft haar uitgelegd dat dat niet is omdat ze boos zijn en dat ze morgenochtend weer met haar zullen praten.

Maar Rémi heeft haar niets gezegd, helemaal niets, over dat merkwaardig donkere dat ze eensklaps ontdekt in het hart van de naar de aarde gebogen zonnebloemen.

'S N achts komt de buil onder het laken terug, een grote buil van verdriet, want tijdens het avondeten begon Céline opnieuw met de spitse punt door te bevestigen dat ze spoedig naar Parijs zouden teruggaan.

'En Rémi dan?' vroeg Mathilde.

'Wat bedoel je: en Rémi dan?' vroeg Céline geïrriteerd, waarschijnlijk minder door die vraag dan door het telefoontje dat eraan was voorafgegaan.

'Nemen we hem mee?'

'Doe niet zo dwaas, Mathilde. Natuurlijk niet. Kom nou toch! Rémi blijft hier, bij de Fougerolles.'

De dwaze Mathilde deed gedurende de hele maaltijd haar mond niet meer open, zelfs niet voor de abrikozentaart, haar lievelingstoetje. Een volmaakt gepruil. Een goed afgesloten luchtbel, bol, bal.

Bénédicte en zij begrepen elkaar met een enkele blik. Zodra de tafel was afgeruimd vertrokken ze naar de hut, waarheen Bénédicte stiekem de punt abrikozentaart had meegenomen die Mathilde nu kon eten zonder in haar eergevoel te worden aangetast.

Op kritieke momenten is Bénédicte toch bewonderenswaardig.

Ook zij vond dat de moeders zich niet veel aan hun dochters gelegen lieten liggen. Dat het niet normaal was dat ze niet betrokken werden bij de beslissingen die hun allemaal aangingen.

Ze overwogen tegenaanvallen, zoals weigeren te vertrekken of het voorwenden van een ernstige ziekte die elk vervoer per auto of trein zou uitsluiten. Door hun grote solidariteit kwamen ze weer tot rust en besloten ze naar bed te gaan en hun moeders koeltjes te omhelzen om goed van hun afkeuring blijk te geven.

Pas veel later, toen Bénédicte sliep, gleed de buil onder Mathildes laken. Op het plafond kwamen ook weer de dreigende schimmen terug, waaronder één waarvoor Mathilde heel erg bang was: een monster, half mens half dier, een specialist in het ontvoeren en scheiden van mensen die van elkaar houden. Dit monster kwam vaak in Mathildes kamer spoken nadat 'hij' slechts naar huis was gekomen om met de deuren te gooien. Mathilde denkt dat het een heel slecht teken is voor Rémi en haar dat het monster, half mens half dier, verschijnt op het plafond van een huis dat het zelfs niet kent…

Vanochtend is de zon als op alle andere dagen opgekomen. Het is niet de eerste keer dat Mathilde opmerkt dat de natuur haar eigen leven leidt, in tegenstelling tot de mensen, die op kritieke ogenblikken solidair zijn, zoals Bénédicte en zij. De natuur gaat haar eigen gangetje. Het had moeten regenen, want Mathilde heeft gehuild.

De hemel mag dan volmaakt blauw zijn, deze ochtend is niet als alle andere. Mathilde denkt slechts aan één ding: de zonnebloemen. Bij het hek op Rémi wachten. Bénédicte, die weet dat ze daarbij niet welkom is – zelfs niet vanuit de verte, zelfs niet zonder iets te zien of te horen – stelt voor van de gelegenheid gebruik te maken om met de beide moeders naar de markt te gaan en hun meer inlichtingen te ontfutselen over dat afschuwelijke vertrek.

Het wachten duurt lang, temeer daar de zonnebloemen, hoewel ze naar Mathilde toe gekeerd staan, er niet normaal uitzien. Het geel heeft zijn glans verloren. Het lijkt alsof hun koppen sinds gisteravond nog zwarter zijn geworden en vooral dat ze niets durven te zeggen. Tenzij ze het niet meer kunnen…

Mathilde schrikt op: Rémi legt zijn handen op haar ogen, ze herkent ze uit duizenden.

'Wie ben ik?' vraagt de zingende stem.

'Jij!' roept ze uit, meer van blijdschap dan van angst.

'Wie is dat, "jij"?' zingt de stem nogmaals.

'Rémi!' zegt ze, diep zuchtend van geluk.

En ze barst in tranen uit. De hele inhoud van de buil, haar hele verdriet van de afgelopen nacht komt eruit: een gedwongen, onaangekondigd vertrek, een moeder die haar kind doodprikt, een monster, half mens half dier, op het plafond van haar kamer, en ten slotte de zieke zonnebloemen. Rémi lijkt het drukker te hebben met het begerig aflikken van de tranen die over Mathildes wangen stromen dan met het volgen van haar tamelijk verwarde, rampspoedige verhaal, maar de kern ervan schijnt hij te hebben onthouden, want als de inhoud van de buil is opgedroogd verklaart hij zelfverzekerd: 'Nee, wíj gaan weg!'

'Wat?' vraagt Mathilde, wier geest nog beneveld is door de tranen.

'Wíj gaan weg! Jij en ik! Snap je?'

Ja. Ze snapt het. Ze snapt het helemaal. Ze zei het wel tegen haar moeder na de eerste duizelingwekkende schommelvaart: 'Rémi is gewoon te gek!' Dat wordt nu bevestigd, want aan deze tegenaanval hebben Bénédicte en zij niet gedacht.

Maar wat Rémi daarnet heeft besloten is niet alleen te gek, het is vooral mooi. Sinds haar geboorte heeft niemand Mathilde zo'n mooi voorstel gedaan. Dat weet ze zeker. Heel zeker. En toch is ze al lang geleden geboren: minstens zes jaar geleden. Als ze Rémi niet al haar tranen te drinken had gegeven, zou ze nog een laatste, een andere traan plengen om dat mooie voorstel.

Rémi en zij geven elkaar een hand en kijken naar de zonnebloemen. Het is een ernstig ogenblik. Ernstiger nog dan toen de boterbloem haar geheim prijsgaf. De zonnebloemen zullen getuige zijn van hun gemeenschappelijke, onherroepelijke beslissing. Ze moeten zweren. Maar eerst, alvorens de eed af te leggen, wil Mathilde weten wat er met de zonnebloemen aan de hand is: 'Gaan de zonnebloemen dood?' vraagt ze bewogen.

'Ja. Eerst een beetje, maar daarna toch niet', antwoordt Rémi kort en bondig.

'Maar waarom wordt het geel zo zwart?' dringt ze aan, want ze denkt dat je zo'n geel, zo'n duizelingwekkend geel nooit zou mogen aantasten. Het is ook de kunstenares die daaruit spreekt.

'De pitten worden zwart', legt Rémi uit. 'Maar die pitten kunnen niet sterven, er komen nieuwe zonnebloemen uit. Jij sterft ook niet, Thilde. Jij maakt ook een pitje, een nieuwe Thilde of misschien...' Plotseling lijkt Rémi helemaal van zijn stuk gebracht. '...misschien een nieuwe Rémi! We zien wel.'

Opnieuw bewondert ze Rémi's kennis van de zonnebloemen, van de natuur in het algemeen. Haar moeder heeft het inderdaad een keer met haar gehad over het zaadje waardoor Mathilde ter wereld is gekomen, maar het kwam haar voor dat 'hij' daar ook iets mee te maken had. Hoe dan ook, het idee van een nieuwe Thilde of een nieuwe Rémi bevalt haar zeer...

Ze hoeven dus nog slechts te zweren dat ze samen zullen vertrekken. Ze gaan rechtop staan, met het gezicht naar de zonnebloemen toe.

'Ik zweer het!' zegt Mathilde, waarbij ze heel sterk denkt aan oma en Félix, die als eersten in Sevilla het voorbeeld hebben gegeven.

'Ik zweer het!' zegt Rémi.

Maar op het moment dat hij wil spugen, houdt Mathilde hem haar hand voor. Op haar beurt wil ze Rémi's belofte uit haar handpalm oplikken.

lles gaat ineens heel vlug. Het is altijd hetzelfde: de vakantie duurt eeuwig, je hebt de indruk dat er nooit een eind aan komt en dan, van de ene dag op de andere, heeft iedereen het over vertrekken. De koffers komen weer te voorschijn, er wordt gesmoesd over het vertrek. Aan zee was het hetzelfde, even verwarrende liedje. Alleen het vooruitzicht van een nieuw manteltje en nieuwe verf om te schilderen maakte het vonnis van een terugkeer naar Parijs draaglijk.

Dit jaar is het anders. Dit jaar sluit ze zich niet als een pakje aan bij de bagage van de volwassenen, die in alles alleen beslissen: ze pakt haar eigen spullen in. Maar in het geheim, zelfs voor Bénédicte, die algauw met Christiane vertrekt. Mathilde heeft geaarzeld of ze Bénédicte in vertrouwen zou nemen. Maar Rémi had liever dat ze haar niets vertelde. Hij was bang dat ze met hen mee wilde. Hij had geen ongelijk. Een verliefd stelletje wil op sommige momenten alleen zijn, al is Bénédicte bereid zich terug te trekken als zij daarom vragen. Om die reden wilde oma ook niet dat Mathilde met haar en Félix naar Sevilla ging; Mathilde begreep dat heel goed. Ze heeft niet aangedrongen op het perron, hoewel ze even huilde toen ze zag hoe de achterkant van de trein zich verwijderde.

Mathilde pakt dus in het geheim haar spulletjes in. Maar vóór alles bereidt ze zich in gedachten voor op het vertrek, met een hoofd dat niets meer op dezelfde manier beschouwt: noch de schimmen op het plafond van haar slaapkamer, noch de gesprekken met haar moeder of de spelletjes met Bénédicte. Zelfs de pepermuntlimonade smaakt anders.

Mathilde heeft al heel wat geheimpjes gehad, maar nooit een geheim als dit, waardoor de pepermuntlimonade een andere smaak krijgt. Ze vraagt zich af of ze nog wel Mathilde is, of een ander niet toevallig haar plaats heeft ingenomen toen ze bij de zonnebloemen haar eed aflegde.

Uiterlijk is ze nog steeds dezelfde, want niemand heeft zich ergens over verbaasd, maar innerlijk niet.

Als Rémi en zij elkaar ontmoeten, denken ze aan hun innerlijk, aan dat wat ze allebei verborgen houden. Alles wat ze zeggen en doen wordt dan zo intens dat ze voortdurend door de kracht van hun blikken boven de aarde uitstijgen en zonder te bewegen even hoog zweven als de zon. Op zulke momenten zijn ze voor iedereen onbereikbaar.

De natuur brengt hen nog het meest in beroering. Dankzij Rémi, die Mathilde verzoent met de insecten – niet met de spinnen –

blijven ze eindeloos lang kijken naar de onbeholpen inspanningen van een mestkever om weer op zijn pootjes terecht te komen, of naar de duikvlucht van de geel-rood gestreepte, op helikopters lijkende libellen in een zwerm vliegjes.

Een paar dagen geleden, bij de rivier, betrapten ze twee blauwe libellen in volle zweefvlucht. Mathilde zag heel goed hoe de jongetjeslibel de meisjeslibel bij haar nek pakte alvorens zich over haar heen te krommen.

'Sst!' zei Rémi.

Voor Mathildes verbaasde ogen vormden de twee libellen een knoop in de vorm van een hart. Mathilde had niet gedacht dat je zo verliefd kon zijn. Ze kreeg er tranen van in haar ogen.

Mathilde moet erkennen dat ze door hun vertrek nog veel meer voor alles openstaat; ze kan niet geloven dat ze een dergelijk geheim voor zich kan houden zonder dat de anderen het merken, vooral haar moeder, wier ogen dwars door de muren van de huizen heen kunnen kijken.

Mathilde en Rémi zijn getweeën met zijn vieren: de gewone Mathilde en Rémi, die doen alsof er niets aan de hand is, en de ondergrondse Mathilde en Rémi, die heimelijk dromen van de dag van het Grote Vertrek.

Bénédicte heeft ook niet gezien dat ze in de rivier met meerderen tegelijk in de waterval springen en dat zijzelf bij hun kwartetspelletjes twee partners heeft, ook al heeft ze gemerkt dat Mathilde soms een vreemde blik heeft.

'Waar ben je nu weer met je gedachten?' heeft Bénédicte haar herhaaldelijk gevraagd.

Daarstraks, toen ze van de rivier terugkwamen, vertelde Christiane dat ze bezig was haar koffers te pakken: morgen, rond het middaguur, moeten zij en Bénédicte vertrekken. Mathilde was het vergeten, want er is maar één vertrek: dat van Rémi en haar.

Het is vier uur. Bénédicte knabbelt met lange tanden aan haar eeuwige biscuitje, dat ze nooit opeet. Mathilde besmeert haar boterham met de abrikozenjam die haar moeder zelf heeft gemaakt.

Bénédicte ziet eruit als iemand die een vraag wil stellen die de ander geen genoegen zal doen.

Mathilde loopt erop vooruit: 'Wat heb je toch?'

'Ik zou graag naar de boerderij willen om afscheid te nemen van Rémi', zegt ze.

'Ja!' zegt Mathilde opgetogen.

'Ja, maar ik zou graag alleen gaan.'

Mathilde vliegt overeind: 'Waarom alleen?'

'Daarom', antwoordt Bénédicte ondoorgrondelijk.

'Daarom is geen reden', zegt Mathilde opgewonden.

'Nou, zomaar.'

En Bénédicte barst los: 'Jij hebt Rémi de hele tijd voor jou alleen gehad, dan mag ik hem ook voor mij alleen hebben, alleen maar om tot ziens te zeggen. Of niet soms?'

Te veel dingen, te veel tegenstrijdige gedachten verdringen zich in Mathildes hoofd. Wat haar vriendinnetje van haar verlangt is ogenschijnlijk uiterst billijk en onschuldig, en tegelijkertijd volkomen ontoelaatbaar en gemeen.

Wat zou een vrouw in zo'n geval doen? vraagt Mathilde zich voor de zoveelste keer af. Even denkt ze dat ze haar moeder misschien om raad zou kunnen vragen, maar uit een gevoel van eigenwaarde zet ze dit idee van zich af. Is eigenwaarde trouwens niet juist datgene waardoor Bénédicte tot haar verlangen komt? Het klopt dat voor haar de vakantie waarschijnlijk niet altijd prettig is geweest op drie, vijf of twintig passen afstand van de wezenlijke dingen, zonder eraan deel te nemen. In elk geval, als het dat is, heeft Bénédicte zich gewroken, want ze weet dat Mathilde zich niet kan verzetten.

Mathilde ziet nog slechts één oplossing: de grote, zelfverzekerde en grootmoedige mevrouw uithangen. 'Ga dan maar als je dat wilt. Mij maakt het niets uit.' Om niet achter te blijven voegt ze er fijntjes aan toe: 'Zeg maar namens mij tegen Rémi: morgenmiddag op de bekende plek…'

De hele tijd dat Bénédicte op de boerderij blijft – dat wil zeggen: miljoenen, nee, miljarden jaren – tekent Mathilde verliefde libellen, blauwe harten onder de foto van haar grootmoeder en Félix. Wat haar het meeste pijn doet, is de afscheidskus tussen Bénédicte en Rémi, die ze miljoenen, nee, miljarden malen voelt als evenveel scherp aangepunte potloden.

Mathilde zit nog steeds op haar kamer als haar beul terugkomt, zichtbaar zeer zelfvoldaan, terwijl haar tennisschoenen al even zichtbaar besmeurd zijn.

Het gekwelde meisje bergt haar tekeningen op en gaat in de uiterst originele dubbele fauteuil zitten met twee zitplaatsen die elkaar de rug toekeren voor als je boos bent. Het is nu hét moment om er een goed gebruik van te maken.

Bénédicte neemt de andere plaats in. Ze zitten met de rug naar elkaar toe. Met Rémi tussen hen in. Om hem. Vanwege hem. Het is ernstig. Heel ernstig.

'En?' vraagt Mathilde spottend.

'Niets!'

'Was Rémi er?'

'Ja, hij was er.'

'Wat hebben jullie gedaan?'

'Niets. We hebben niets gedaan. We hebben gepraat.'

'Hebben jullie het over mij gehad?'

'Nee.'

'Waar dan over?'

Bénédicte antwoordt niet. Ze zal ook niet antwoorden. Vandaag niet en morgen niet. In elk geval is het morgen te laat, aangezien ze vertrekt. Maar Mathilde moet alles weten, vooral over hun afscheidskus, alleen over hun afscheidskus.

'Hebben jullie afscheid genomen?'

'Ja.'

'Hij heeft je dus gezoend?'

'Ja.'

'Hoe? Hoe heeft hij je gezoend?'

Bénédicte antwoordt niet. Ze zal ook niet antwoorden. Vandaag niet en morgen niet.

'Op de mond?' dringt Mathilde, tot alles in staat, aan.

'Nee.'

'Waar dan wél?' roept Mathilde uit.

'Hier', antwoordt Bénédicte rustig.

Mathilde draait zich om. Bénédicte wijst op haar hand, op de rug van haar hand.

'Heeft hij je een handkus gegeven?' brengt Mathilde met moeite uit.

'Ja... Net als in een film die hij op de tv had gezien', antwoordt Bénédicte trots.

'Is dat alles?'

'Ja, dat is alles! Hoezo?' vraagt Bénédicte verbaasd.

Mathilde valt haar om de hals. Haar vriendin. Haar beste vriendin. Haar vriendin voor altijd. Ze zijn niet meer boos. Helemaal niet meer boos. Dat zijn ze nooit geweest. Ze zullen het ook nooit worden. Vriendinnen voor het leven...

Het spreekt vanzelf dat daarna het avondeten in een opgewekte stemming verloopt. Om de maaltijd eer aan te doen hebben de meisjes zich mooi gemaakt, want hun moeders overtreffen zichzelf, zowel wat de kwaliteit als wat de porties betreft. Toen Mathilde ter ere van Christiane haar wit kanten jurkje had aangetrokken en ter ere van Bénédicte het kralensnoer met in het midden de hartvormige schelp omdeed, ontdekte ze, ongetwijfeld geholpen door de foto uit Sevilla op haar secretaire, eindelijk waaraan die schelp haar deed denken: aan het schitterende portret dat Félix in Parijs van haar grootmoeder had gemaakt en waarop Félix in plaats van de ogen twee schelpen had geschilderd van een paarlemoerachtig roze dat leek te glinsteren van het zeezout. Bij het zien van dat schilderij had Mathilde trouwens besloten dat ze net als Félix schilder wilde worden, want zulke mooie oogschelpen had ze nog nooit gezien.

Het avondeten verloopt vrolijk, al is het hun laatste gezamenlijke maaltijd. Ze brengen de mooiste momenten van hun zo geslaagde vakantie ter sprake. Bénédicte, die onherkenbaar is, is al aan haar derde auberginebeignet bezig. Misschien komt het door de kus als op de tv, want Bénédicte wilde niet haar handen wassen alvorens aan tafel te gaan. Céline en Christiane vullen opnieuw hun glazen en gaan er prat op dat ze een beetje 'tipsy' zijn. Rémi keert vaak terug in de toptien van hun herinneringen; telkens legt Mathilde een hand op de hartvormige schelp om haar hals. Het is duidelijk dat dankzij de schelp oma's tedere blik van verstandhouding voortaan op haar rust en dat hij haar op de dag van het Grote Vertrek zal beschermen…

Het is al laat als de moeders tussen twee lachstuipen door hun dochtertjes gaan instoppen. Ze lijken niet verbaasd Mathilde en Bénédicte kirrend in hetzelfde bed aan te treffen. Als ze 'tipsy' zijn, zijn hun moeders toegeeflijker. Wijn drinken moet iets goeds zijn, het moet alles eenvoudiger maken. En Mathilde vindt het zo prettig als haar moeder zonder reden lacht!

Christiane gaat aan Mathildes kant zitten.

'Ik heb een cadeautje voor jou', zegt ze, terwijl ze iets uit haar zak haalt.

Het is de foto van Rémi, in zijn matrozenpakje te midden van de geiten op de geroeste melkbus gezeten. Mathilde vraagt zich af of ze zal lachen of huilen. Ze kiest een beetje van allebei en eindigt met een lach. Christiane is niet zo welbespraakt als haar moeder, maar in het maken van gebaren is zij de beste. Mathilde begrijpt waarom Céline haar zo nodig heeft om de vereiste gebaren te maken als 'hij' er niet is of als hij met de deuren heeft gesmeten. Als Mathilde met iemand over het Grote Vertrek moest praten, zou ze misschien bij Christiane haar hart uitstorten...

Na een eindeloos aantal kusjes gaat het licht uit.

Bénédicte en Mathilde trekken hun nachthemdjes uit en gaan achter de wit tulen gordijnen dicht tegen elkaar aan liggen. Bénédictes huid is overal zacht, zelfs bij de ellebogen en de knieën. Ze smaakt niet naar zoute pinda's. Ook zij smaakt zoet, ze heeft een lichte dropsmaak als Mathilde met haar tong eroverheen gaat.

Mathilde heeft het kralensnoer met de schelp omgehouden; het maakt een ritselend geluid tegen het laken. De krekels sjirpen achter de halfopen luiken, die een flauw maanlicht binnenlaten.

Op het plafond is niets te zien. Niet één monster half mens half dier.

Mathilde denkt aan de foto van Rémi die ze onder haar kussen heeft verstopt. Ze denkt er zozeer aan dat ze met haar benen Bénédictes benen omstrengelt. De verstrengeling met Bénédicte is erg prettig, veel prettiger dan ze had gedacht. Het lijkt erop dat de verstrengeling met een meisje niet veel anders is dan met een jongen…

'Slaap je?' fluistert Mathilde in Bénédictes hals.

'Nee', zegt Bénédicte, die de omstrengeling net zo op prijs lijkt te stellen.

'Heb je kippenvel?'

'Nee. Waarom? Jij wel dan?'

'Nee, ik ook niet', zegt Mathilde.

'Allicht niet', besluit Bénédicte. 'Het is te warm.'

Mathilde zou haar beste vriendin graag vertellen dat je geen kippenvel krijgt omdat je het koud hebt. Maar waarom eigenlijk?

N a Christianes en Bénédictes vertrek lijkt het huis leeg. Mathilde was er zo aan gewend geraakt dat Bénédicte overal met haar heen ging dat ze haar werkelijk mist nu ze er niet meer is. Ook Céline lijkt in een kringetje rond te draaien.

Voor één keer geeft de natuur blijk van solidariteit. Een venijnige wind blaast over het huis en de tuin.

Moeder en dochter zijn overeengekomen toch naar de rivier te gaan, ondanks het feit dat het snel is afgekoeld. Zoals gewoonlijk wacht Rémi bij de ingang van de boerderij op hen. Hij is in zijn gympakje. Door de wind zit zijn haar meer in de war dan ooit.

Als Mathilde Rémi weerziet, kan ze een kleine angst niet onderdrukken: stel dat… Stel dat Rémi niet meer zo van haar houdt. Maar bij de eerste blik haalt ze opgelucht adem: ja, hij houdt nog steeds even veel van haar, en zelfs meer sinds hun eed bij de zonnebloemen…

'Afschuwelijk, die mistral, vind je niet?' schettert Céline, terwijl ze in de achteruitkijkspiegel naar Rémi kijkt.

'Mistral, dat zeggen de toeristen. Noordenwind. Het heet noordenwind!' antwoordt Rémi gevat.

'O', zegt Céline, die niet langer aandringt.

Mathilde glimlacht tegen Rémi. Tegen haar wolf. Ze houdt van Rémi als hij opnieuw wild, een beetje onbeschoft wordt. Ze vindt het geweldig dat hij een beetje op de noordenwind lijkt.

Nu Bénédicte er niet meer is, wachten Mathilde en Rémi niet op de bochten om knietje te vrijen, maar om elkaar woordjes in het oor te fluisteren vanwege Célines ogen in de achteruitkijkspiegel.

Mathilde is geïntrigeerd door de blik van haar moeder als ze die kruist. Hij verraadt tederheid, maar ook bezorgdheid. Céline heeft dezelfde blik als Mathilde hoge koorts heeft en de dokter op zich laat wachten. Het lijkt wel alsof haar moeder vandaag minder tevreden is Rémi en haar samen te zien, dat er iets is wat haar verontrust…

'Gaat het wel, mama?' vraagt Mathilde ten slotte.

'Ja hoor. Het gaat best, lieverd', antwoordt Céline. 'Maar ik hoop…' voegt ze eraan toe, '…ik hoop alleen dat de wind vóór ons vertrek gaat liggen.'

Door dat woord schrikken ze op de achterbank op. Niet door het woord 'wind', maar door het woord 'vertrek'. Mathilde denkt ook niet dat het de wind is die haar moeder verontrust. Nee, dat denkt ze niet. Het ogenblik is aangebroken. Het ogenblik om erachter te komen wanneer ze vertrekken.

Ze nestelt haar hand in die van Rémi.

'Wanneer... wanneer vertrekken we dan?' vraagt Mathilde, die tracht natuurlijk over te komen.

'Morgen... Morgen rond het middaguur', antwoordt Céline, die de blik van haar dochtertje in de achteruitkijkspiegel ontwijkt.

Achterin drukken de handen elkaar heel stevig.

Morgen!

Ze was al bang voor dat antwoord. Gewoonlijk duurt morgen lang omdat het niet vandaag is. Maar nu is morgen vandaag, meteen!

Mathilde kijkt Rémi aan. Ze denken aan hetzelfde, aan hun vertrek, aan het Grote Vertrek. Ze denken hetzelfde: dat dat komende nacht plaatsvindt.

Niemand zegt nog iets tot bij de rivier.

De zon is brandend, maar de wind is koud. Noch Rémi noch Mathilde heeft zin om te spelen. Na een paar keer uit principe in de waterval te zijn gesprongen, haasten ze zich naar hun handdoeken en de picknick achter een muurtje van rolstenen dat hen beschermt tegen de wind en de blikken van Céline, die een eindje verderop ligt uitgestrekt om integraal te bruinen, een proces waarvan Rémi de voortgang kruis en munt met belangstelling heeft gevolgd, wat Mathilde gewoon vindt voor een normale jongen, die bovendien gedwongen is naar de moeders van anderen te kijken omdat hijzelf geen moeder meer heeft. Rémi wil nog steeds niets over zijn moeder zeggen, ook niet als ze alleen zijn, maar over zijn vader is hij erg mededeelzaam. Net als Mathilde vraagt Rémi zich af waarom vaders zo stelselmatig verdwijnen. Maar hij is vastbesloten hem terug te vinden.

Rémi en Mathilde maken afspraken met betrekking tot het Grote Vertrek. Hoe laat, vanaf welke plek, alles… Ze weten nog niet of ze voorgoed weggaan of alleen maar op reis, net als oma en Félix.

Mathilde heeft Sevilla voorgesteld, maar Rémi gaat liever naar Italië, omdat hij dankzij vader Fougerolles al weet hoe een tomaat in het Italiaans heet. Rémi denkt dat talen erg belangrijk zijn. Mathilde is het meest onder de bekoring van Rémi's accent. Op een dag zei ze tegen hem: 'Als jij praat is het net alsof je zingt.' Rémi legde Mathilde uit dat zij niet zong omdat ze de woorden niet helemaal uitsprak, omdat ze puntig sprak, als een Parisienne.

Het was een heel interessant gesprek. Ten slotte hadden ze hun tong uitgestoken om die met die van de ander te vergelijken. Om te zien of Mathildes tong puntiger was dan die van Rémi. Maar het verschil in accent is zo niet goed te zien, zelfs niet als je elkaar een heel lange zoen geeft, zoals ze daarna deden…

Mathilde is akkoord gegaan met Italië, niet vanwege de taal, maar om het ijs. Daarna hebben ze van alle baddoeken en de stukken hout die Rémi in de rivier had gevonden een soort tent gemaakt als in de Sahara. Er is weinig plaats in de tent. Ze trekken hun sandalen uit en gaan met opgetrokken benen kop aan staart liggen.

Mathilde is ontroerd, het is hun eerste slaapkamer en de eerste keer dat ze samen slapen, ook al doen ze alsof, ook al zijn ze nog nooit zo wakker geweest. Door met haar knieën en benen tegen Rémi aan te liggen, maar dan in omgekeerde richting, wordt Mathilde heel elektrisch geladen, net als wanneer het onweert.

Haar badpak, dat ze met haar moeder heeft uitgekozen omdat het geel was en omdat het een beloftevol decolleté had, is nog vochtig en prikt zowat overal.

Ze zeggen niets omdat ze geacht worden te slapen, maar ze is ervan overtuigd dat Rémi ook de mengeling van pinda en vanille ruikt. De baddoeken klapperen in de wind. Mathilde doet alsof ze slaapt. Ze weet niet waarop ze wacht, maar ze wacht.

Eerst is het onmerkbaar, daarna wordt het duidelijker: Rémi's tenen bewegen zich tegen de onderkant van haar dijen. Het lijkt wel een muisje, of eerder nog de snuit van een poes die de lucht krijgt van een kommetje lauwwarme melk.

Niet bewegen. Afwachten wat de poes van plan is. Met gesloten ogen volgt Mathilde de zachte snuit die haar huid kietelt. Hij gaat naar de plek waarvan zij dacht dat hij erheen zou gaan, langzaam maar vastbesloten...

Aan zee, als ze in het zand tussen Mathildes benen kuilen groeven, roken haar neefjes ook het kommetje met melk, maar nooit durfden ze zo dichtbij te komen. Rémi durft dat wel. Het is normaal dat een aanbidder dat durft. Dat recht hééft hij.

Buiten is er een adempauze in de noordenwind ingetreden. Alles is stil. Alleen de rivier speelt haar lied op de xylofoonstenen.

Mathilde zou haar hele leven willen doen alsof ze slaapt en wachten op Rémi en zijn kattensnuitje...

'Wat spoken jullie daar uit?'

Célines stem is harder dan de wind. Ze trekt het gezicht van een achterdochtige moeder waaraan Mathilde een hekel heeft.

'Eh... niets! We doen niets, we slapen!' stottert Mathilde, terwijl de snoeplustige poes zich zo goed mogelijk terugtrekt.

Gesnauw. Alles op zijn plaats terugbrengen. Aankleden. Vlug wat. Terug naar huis, en gauw ook!

Op de terugweg kijken Célines ogen boos in de achteruitkijkspiegel. Mathilde zucht. In de bochten buigt Rémi zich niet naar haar toe. Hij zit heel rechtop op het uiterste puntje van de bank.

Mathilde denkt treurig na over de macht van moeders, en vooral over hun onvoorspelbaarheid.

Wat wil haar moeder eigenlijk? Ze zal toch moeten beslissen of ze nu wel of niet een aanbidder voor haar dochter wil.

Mathilde is op haar beurt boos. Je gaat niet zonder aan te kloppen bij de mensen binnen, zelfs als de deur uit een badhanddoek bestaat!

Haar boosheid is een troost, het komt haar goed uit boos te zijn: is het niet beter dat haar moeder vijandig tegenover haar staat in de nacht dat Mathilde haar verlaat zonder afscheid van haar te nemen, zonder een afscheidsliefkozing?

Middernacht is een mooi tijdstip voor een verliefd stel om te vertrekken, maar het vereist veel uithoudingsvermogen. Ze moet vechten tegen de slaap en niet al te veel naar het plafond kijken. De nachtelijke monsters bezoeken niet uitsluitend slaapkamers, ze kunnen zich heel goed naar de andere vertrekken in huis verplaatsen, bijvoorbeeld de keuken, waar Mathilde ten slotte tegenover de klok is gaan zitten die elk kwartier slaat en dicht bij de provisiekast met het rek met zoetigheden.

Gezeten aan de keukentafel speelt ze op haar manier tussen de biscuitjes en de jampot het spel van de zeven families.

De dochter van Lagonflette heeft ze al uitgehuwelijkt aan de zoon van Grosbêta, en in het gezin Vermicelle, dat geen kinderen meer verwachtte, heeft ze een dochtertje ter wereld laten komen. Het kost haar moeite de grootouders, vooral de grootmoeders, te laten sterven.

Ze moet Rémi naar zijn achternaam vragen, want ze zou graag

willen weten hoe hun gezin heet als ze op reis zijn.

Buiten blijft het waaien, de luiken klepperen, maar ze heeft toch haar jurk met stippen en de ruches aan de mouwen aangetrokken, de jurk die Rémi de mooiste vindt. Ze heeft haar kralensnoer met de hartvormige schelp omgedaan, zodat oma hen beschermt.

In het koffertje, waarin ze normaal haar tekenmateriaal en kostbare voorwerpen opbergt, zoals de roze kei van Rémi en de foto van haar grootmoeder, heeft ze behalve haar nieuwe toilettas en het flesje lavendelwater de witte jurk van Christiane gedaan voor als ze in Italië trouwen; voor het geval dat ze ergens een schommel zien heeft ze de geruite kuitbroek met de witte bloes ingepakt die op de buik geknoopt wordt; verder neemt ze het bovenlijfje van gefronste stroken mee met het recept van haar moeder, dat nog geen echt resultaat heeft opgeleverd, want de drukknopen zijn hetzelfde gebleven, en ten slotte het gele badpak, zodat de snuit van de poes op dagen dat ze een middagdutje doen kan terugkomen.

Als ze voelt dat ze in slaap valt, eet ze nog een biscuitje, al heeft ze allang geen trek meer.

Ze dacht dat haar moeder nooit naar bed zou gaan. Céline dronk de ene kop lindebloesemthee met munt na de andere. Haar boze bui was voorbij. Het leek wel alsof ze zichzelf kwalijk nam dat ze niet op de baddoek had geklopt alvorens hun kamer binnen te komen. Verscheidene malen sprak ze over Rémi, waarbij ze steeds meer aandacht schonk aan haar dochtertje en heel lief deed, tot het Mathilde te binnen schoot dat Céline natuurlijk niets wist van het Grote Vertrek en dat het voor haar in zekere zin de laatste avond met Rémi en Mathilde was.

Mathilde weet als alle meisjes wat liegen is. Daar ontkom je niet aan. Tegen je moeder móét je wel liegen. Dat maakt deel uit van de opvoeding. Maar stiekem ertussenuit gaan is een grove leugen. Onder het eten stond Mathilde verscheidene malen op het punt om alles te bekennen, zo schuldig voelde ze zich, vooral toen Céline een prachtige compoteschaal met schuimgebak en banketbakkersroom, een nagerecht voor grote gelegenheden, op tafel zette.

Mathilde heeft het uiteindelijk toch volgehouden: ze heeft niets gezegd en is ervan overtuigd dat ze daardoor weer wat is gegroeid. Een dergelijke leugen is uiteraard goed voor de drukknopen. Ze moet ertoe bijdragen dat de borstjes en de rest groeien. In elk geval is het nu te laat om spijt te hebben. Om middernacht heeft ze bij de hut een afspraak met Rémi. Zijzelf heeft aangedrongen op de hut, die vlak bij het huis staat, want Mathilde buiten... 's nachts... helemaal alleen...

De luiken beginnen steeds harder te klepperen, bijna even hard als de tamtam van haar hart, want middernacht, dat is volgens de klok over een kwartier.

Klok kijken heeft 'hij' haar geleerd. Wie weet heeft hij het met opzet gedaan omdat hij dacht dat zijn dochtertje het op een dag nodig zou hebben om met Rémi te vertrekken. Ze vraagt zich af of 'hij' ook zonder op de baddoek te kloppen zou zijn binnengekomen, of 'hij' ook zou hebben geroepen: 'Wat spoken jullie daar uit?'

Mathilde ruimt haar kwartetspel op en doet het deksel op de jampot.

Het is tijd.

In de films die ze heeft gezien of de boeken die haar moeder haar heeft voorgelezen kwamen ook kleine meisjes voor die wegliepen, vaak voorgoed. Mathilde heeft soms om hen gehuild. Maar met een aanbidder, als het voorgoed is, is het heel anders. Het klopt niet dat je dan ongelukkig bent. Je zegt alleen maar bij jezelf: het is tijd, en je voelt niets, helemaal niets.

Met haar koffertje aan de hand gaat Mathilde door de buiten-deur de tuin in. De hemel is bezaaid met sterren, en toch wordt ze overvallen door de koude wind, die de gele stippen tegen haar benen blaast. Vóór haar liggen de hut, Rémi, Italië. Achter haar het huis, haar moeder, de school.

Wie nog wil groeien, moet vooruitkijken, niet achteruit. Zo is het. Anders blijf je een meisje. Toch komt van achter haar de stem, de gebruikelijke stem: 'Mathilde?'

Opnieuw hoort Mathilde 'Ma-Thilde'. Haar moeder roept haar eigen Thilde, met in haar stem meer verbazing dan boosheid.

Thilde draait zich om. Céline lijkt aan het door de maan half verlichte slaapkamerraam uit een boze droom te ontwaken.

'Wat spook je toch uit?'

Mathilde zegt bij zichzelf dat haar moeder werkelijk over de gave beschikt op heel belangrijke momenten, als het juist niet mag, op te duiken. Ze beschikt over de gave vragen te stellen die ze niet hoort te stellen: wat ze hier of daar uitspookt.

Deze keer moet ze zich met geheven hoofd verzetten.

'Ik ga weg. Ik ga weg met Rémi!' antwoordt Mathilde, zonder zich van haar stuk te laten brengen.

'Hoezo: je gaat weg met Rémi?'

Gestommel in de slaapkamer, deuren die worden dichtgeslagen, wat geen goed teken is, en Céline die in haar nachthemd toesnelt.

Moeder en dochter staan in de wind, gereed om elkaar het hoofd te bieden. De moeder is geweldig groot, de dochter klein. De moeder voelt zich enigszins overrompeld, de dochter, met haar koffertje in de hand, is heel rustig.

'We gaan trouwen, Rémi en ik!' zegt Mathilde.

Céline vertrekt haar mond van iets, maar het is moeilijk te zien of het van woede is of van een ingehouden lach. Misschien weet haar mond zelf niet wat hij doen zal.

'We gaan naar Italië', voegt Mathilde er onverstoorbaar aan toe.

Zij zou in haar moeders plaats lachen, ze zou haar dochtertje omhelzen, haar een goede reis toewensen en haar zelfs helpen door haar koffertje naar de hut te dragen. Dát zou ze in haar plaats doen.

Over het algemeen voel je klappen aankomen. Je verwacht ze omdat je ze meestal verdient. Ze doen geen pijn omdat je het ermee eens bent. Mathilde heeft niet veel klappen gehad in haar leven, maar ze was het er altijd mee eens.

De klap die ze nu krijgt heeft ze niet voelen aankomen. Ze verwachtte hem in het geheel niet omdat hij niet verdiend is. Hij komt erg hard aan, zo hard dat Mathilde in haar jurkje met gele stippen als verdwaasd met een hand tegen haar wang op haar achterste terechtkomt.

De noordenwind last een pauze in. Stilte. Je zou je haast afvragen of de wind in deze streek niet op een actieve en plechtige manier deelneemt aan het doen en laten van de mensen.

Mathilde blijft roerloos zitten. Met de ene hand tegen haar wang, met de andere zich vastklampend aan haar koffertje, zonder een woord te zeggen, zonder te huilen, want net als daarstraks in de keuken is de spanning zo hoog opgelopen en gaat de tamtam zo hard tekeer dat ze niets meer voelt. Helemaal niets. Céline zegt ook niets, ze staat daar roerloos en steeds hoger boven haar dochtertje uit te torenen.

Er is een spelletje waarin Mathilde erg goed is: blijf zitten waar je zit en verroer je niet. De ander mag je niet zien bewegen, want dan ben je verloren. Hier is het hetzelfde. Mathilde mag niet bewegen, want dan is ze verloren. Zolang ze op de grond zit, is ze aan de winnende hand. Dus blijft ze zitten. Heel lang. Op de ijskoude plavuizen. Lang genoeg om zich voor te stellen hoe Rémi met zijn koffer bij de hut naar haar begint uit te kijken. Lang genoeg om haar die is opgedoemd, die haar eigen kind wil beletten zich bij haar aanbidder te voegen omdat ze er zelf geen meer heeft, die haar wil beletten een vrouw te worden, echt te haten. Hoewel ze in de trein heeft beloofd dat ze als gelijkwaardige vrouwen onder elkaar zouden zijn.

Mathilde, met haar hand tegen haar wang, kijkt op.

'Je hebt tegen me gelogen!' slingert ze haar moeder, met alle minachting waartoe ze in staat is, als een aangepunt potlood naar het hoofd.

'Hoezo: ik heb tegen je gelogen?' vraagt Céline, die zichtbaar is gerustgesteld dat haar dochtertje weer kan spreken, maar ook uit het veld geslagen door haar aanval.

'We zijn geen vrouwen onder elkaar. Dat zijn we niet!' antwoordt Mathilde gekwetst.

Céline laat haar hoge toon varen. Ze gaat tegenover haar dochtertje op de ijskoude plavuizen zitten. Dat is beslist beter om met elkaar te praten, want ze praten nog, maar gevaarlijk voor Mathilde, die zich heel goed zou kunnen laten vertederen en de moeder van wie ze houdt minder zou kunnen gaan haten.

'Jij hebt tegen míj gelogen, Mathilde', zegt Céline heel zachtjes, waarbij ze elk woord duidelijk uitspreekt.

Voordat Mathilde weer bij zinnen komt, barst haar moeder in tranen uit met een heftigheid waartoe ze haar niet in staat zou hebben geacht.

Ze heeft Céline al eerder zien huilen. Om 'hem'. Omdat 'hij' niet kwam, of omdat 'hij' wél kwam. Omdat 'hij' niet schreef, of omdat 'hij' geschreven had. Meestal in het verborgene. Maar deze tranen zijn anders: het zijn de ergste die ze ooit heeft gezien, want voor het eerst in Mathildes leven moet haar moeder om haar huilen. Wat doe je in zo'n geval? Wat doe je als je eigen moeder, met loshangend haar, met blote voeten, met het gezicht in een wit nacht-hemd begraven, door jouw schuld zit te schudden van de tranen en op een klein meisje begint te lijken?

Moet je dan op jouw beurt voor moedertje spelen? Voor red-dingsboei? Met een schipbreuk aan de horizon? Opnieuw vraagt Mathilde zich af of ze niet wat te klein is voor een drama van die omvang. Onhandig neemt ze Céline in haar armen, ze streelt haar haar, wiegt haar zo goed en zo kwaad als ze kan, zij die nog nooit ie-mand heeft gewiegd, zelfs niet haar poppen, waaraan ze altijd een hekel heeft gehad. Ze gebruikt moederlijke woorden: 'Het is maar half zo erg, ik ben bij je, lieverd', met het bizarre gevoel van een omgekeerde wereld, de wereld op zijn kop, het reuzenrad…

Eindelijk komt Céline tot bedaren. Weldra staat ze op, krijgt ze haar normale lengte, de lengte van een moeder, maar niet zo dat ze haar verkleumde dochtertje in haar armen neemt. Steunend op elkaar gaan ze stapje voor stapje het huis binnen. Als twee gewon-den die van het slagveld terugkeren, net als in de oorlogsfilms die Mathilde altijd minder graag zag dan liefdesfilms, ze begrijpt nu nog beter waarom.

In haar vrije hand houdt Mathilde haar koffertje. Ook het kof-fertje gaat het huis binnen, samen met de witte jurk, de kuitbroek, het roze bovenlijfje en het badpak.

Het spreekt vanzelf dat Mathilde in Célines bed slaapt, in haar jurkje met de stippen dat haar moeder haar niet durft uit te trek-ken, dat ze zélf niet durft uit te trekken. Het spreekt vanzelf dat ze elkaar heel stevig vasthouden. Een liefkozing. Een vredesliefkozing. De liefkozing van de vredesduif.

Maar als hun benen zich in de slaap oprollen, beseft Mathilde dat ze haar moeder niet kan omstrengelen, dat kan ze niet. Pas dan denkt ze opnieuw aan Rémi, die bij de hut op haar wacht. Pas dan begint ze te huilen. In haar eentje.

Haar moeder slaapt reeds met het jurkje met de gele stippen in haar armen.

De noordenwind is gaan liggen. De cicaden vertellen het elkaar. Mathilde draait zich om naar de vensterluiken die het zonlicht doorlaten. Haar ogen doen zeer, ze heeft buikpijn, haar wang doet zeer, overal waar ze maar pijn kan hebben heeft ze pijn.

Haar jurkje met de gele stippen ligt helemaal gekreukt in de rieten fauteuil, maar het koffertje is verdwenen.

De deur gaat open: 'Het ontbijt voor de jongedame!'

Céline, zeer goed gehumeurd, ziet er geweldig uit met haar dienblad met alles waarvan Mathilde houdt.

'Als de jongedame zo goed wil zijn…'

Céline zet het dienblad op het bed en opent de luiken. De zomer zingt de slaapkamer binnen. Het lijkt wel een tv-spotje, zo overdreven is alles: het licht, de geluiden, de geuren…

Céline gaat naast haar dochtertje liggen.

Het laatste ontbijt op bed, dat was in Parijs, de dag voordat ze met vakantie gingen. Ze herinnert het zich, want haar moeder had de Provence precies aangeprezen zoals het er vanmorgen is, terwijl Mathilde bij de oceaan zwoer. Ze wist toen nog niet wat haar te wachten stond. Ze kende Rémi nog niet. Niemand kende hem!

Het volgende ontbijt met haar moeder zal in Parijs zijn. Mathilde heeft zere ogen, ze heeft buikpijn, ze heeft overal pijn waar je maar pijn kunt hebben.

'Mama…'

'Zeg het maar, liefje.'

'Niets.'

Nee, niets. Er is niets aan te doen. Er valt niets te zeggen.

Mathilde eet wat Céline haar voorzet, zoals ze altijd heeft gedaan en altijd zal blijven doen. Maar er is niets aan te doen, er valt niets te zeggen. Zelfs bij een moeder die je niet meer haat heb je overal pijn, een pijn die niet te verhelpen is. Mathilde mist Rémi… En met dat gemis gaat ze zich wassen, kammen en aankleden, als een gewoon klein meisje dat op reis gaat…

Als ze uit haar kamer komt, blijft ze ineens staan. Ze herkent de stem van mevrouw Fougerolles in de keuken. Céline en de boerin zijn in een druk gesprek gewikkeld, maar als zij binnenkomt, veranderen ze van onderwerp en praten ze over het huishouden. Mevrouw Fougerolles geeft Mathilde een kus, maar het is goed te zien dat ze uit haar gewone doen is. Alleen Léon lijkt oprecht: hij likt haar hand.

Gevolgd door de hond verwijdert Mathilde zich van het huis. Ze is tegelijkertijd trots en razend. Trots dat ze een onderwerp van gesprek vormt, razend omdat ze buiten wordt gesloten, terwijl zij, natuurlijk samen met Rémi, de voornaamste rol speelt. Is hij naar de hut gegaan? En als hij nu eens ook een draai om zijn oren heeft gehad? Als hij er meerdere heeft gekregen?

In haar verlangen naar Rémi gaat Mathilde de tuin in. Het zien van de hut zonder het spoor dat er iemand is geweest is een ware martelgang. De hele tuin is een kwelling, want overal ziet ze Rémi: rechtop staand, hangend, in elke houding. Ze is stomverbaasd dat ze iemand die afwezig is zo duidelijk kan zien. Waar is hij in werkelijkheid? Heeft vader Fougerolles hem belet naar buiten te gaan? Zit hij tegen zijn zin bij de geiten opgesloten?

Ze kijkt naar Léon, die kwispelstaartend luistert hoe zij in haar eentje praat. Hij weet het, maar hij kan het niet zeggen... Door na te denken en de paden van de tuin te doorlopen komt Mathilde helemaal vanzelf bij de plek waar ze zijn moet. Bij aankomst is haar verlangen naar Rémi zo groot dat ze tegen het hek moet leunen. Het hek bij de zonnebloemen...

Opnieuw begint alles te draaien. Maar niet omdat Mathilde gefascineerd is. Niet van verrukking. De duizenden zonnebloemen kijken met een zo donkere blik naar haar dat ze terugdeinst. Het duurt even eer ze begrijpt dat het inderdaad hun zonnebloemen zijn, want er is niets meer over van hun duizelingwekkende geel. Slechts koppen die door een groot, onzichtbaar vuur zijn verkoold.

In haar tekeningen maakt Mathilde nooit gebruik van zwart.

Dat is een kleur waaraan ze altijd een hekel heeft gehad. Zwart beschouwt ze trouwens niet als een echte kleur. Ook om de dood van Félix' hond te tekenen heeft ze geen zwart gebruikt.

Léon, die Mathildes gedachten lijkt te kunnen lezen, gaat aan haar voeten zitten en beziet eveneens de catastrofe. Samen luisteren ze naar het klagen van de bloemen. Alle zwarte, verdraaide koppen vertellen Mathilde hetzelfde: Rémi is er niet en zal er niet zijn.

Ze plaatst haar rechterhand boven haar ogen… Aan de andere kant van het veld lijkt de boerderij onder haar okerkleurige dak heel ver weg, maar misschien ziet hij haar ondanks alles toch, want als hij bij de geiten zit opgesloten, kijkt hij natuurlijk deze kant op, in de richting van de zonnebloemen.

Het troost haar dat ze Léon bij zich heeft. Ze vindt trouwens dat hij steeds meer op Félix' hond gaat lijken. Worden sommige honden onder een nieuwe meester herboren in plaats van voorgoed te sterven?

Mathilde staat lange tijd zuchtend bij de zonnebloemen te wachten. Het is de hond, die plots zeer opgewonden is alsof hij haast heeft om weg te komen, die haar uit haar overpeinzingen wekt. Ze zucht een laatste keer en gaat terug naar de schommel, voorafgegaan door Léon.

Ze heeft geen horloge, maar ze voelt dat de tijd snel verstrijkt. Te snel. Bij het verlangen naar Rémi voegt zich een andere pijn: de angst dat ze de trein moet nemen zonder afscheid te nemen, zonder hem vaarwel te zeggen.

Als dat het geval is, betekent het haar dood of zal ze ernstig ziek worden, tot haar moeder, buiten zichzelf, hen naar Italië stuurt, haar smeekt bij het huwelijk aanwezig te mogen zijn en haar om vergeving vraagt...

Op het moment zelf ziet Mathilde, die druk bezig is met het uitkiezen van een ziekte die zo ernstig is dat ze Céline tot een zo goede beslissing zou kunnen dwingen, niets. Door het keffen van de hond wordt ze opgeschrikt.

Op een paar meter afstand, gezeten op haar plaats op de schommel, kijkt een jongen in een matrozenpakje toe hoe zij in zijn richting komt.

Jongens die meisjes in hun richting zien komen zijn er al meer geweest en zullen er altijd zijn, maar een stralende blik als de zijne, die die lichtpijl in haar richting schiet, die tussen hemel en aarde de gouden draad spant waarop zij betoverd zal koorddansen, heeft niemand ooit gehad en zal niemand ooit hebben.

Tromgeroffel.

Hij steekt haar een hand toe, de hand met de vierkante vingertoppen, voor de laatste meter die hen nog scheidt, en Mathilde staat voor hem.

Een jongen en een meisje die tegenover elkaar staan en elkaar stilzwijgend aankijken zijn er nog nooit geweest, zullen er nooit meer zijn.

Onder haar reisjurkje slaat haar tamtam naar links en naar rechts, één vreugdetam, één wanhoopstam. Vreugde om het weerzien. Wanhoop omdat ze hem moet verlaten. Kan iemand een der-gelijke tegenstrijdigheid overleven? De keuze van een ernstige ziekte lijkt te zijn gemaakt: een hartkwaal. Als ze sterft, is het aan een hartkwaal.

'Ik heb die jurk nog nooit gezien', zegt Rémi om iets te zeggen.

'Die is voor in de trein', antwoordt Mathilde zo luchtig moge-lijk.

'De jurk met de stippen vind ik mooier.'

'Ik ook', zegt Mathilde, die aan haar kleding van afgelopen nacht denkt. 'En, ben je naar de hut gegaan?' vraagt ze eensklaps opge-wonden.

'Nee, ik kon niet.'

'Heb je klappen gehad?'

'Ja.'

'Ik ook, ik heb ook klappen gehad. Dat doet pijn, hè?'

'Nee, het doet geen pijn!' antwoordt de dappere Rémi, de wolf Rémi die zo trots is dat Mathilde denkt dat hij beslist meer dan één oplawaai heeft gehad.

Er zullen niet veel jongens zijn die klappen krijgen voor een meisje en vinden dat dat geen pijn doet.

Rémi en Mathilde, stilstaand bij de schommel, zweven zonder te bewegen onder de ceder van de Libanon.

'We vertrekken dus niet, jij en ik', besluit Rémi alsof hij in zich-zelf praat.

'Nee, niet jij en ik...'

Mathilde kijkt op. Het is aan haar om trots te zijn. Om dapper te zijn.

'Weet je, ik kan mijn moeder niet alleen laten. Ik moet in Parijs op haar passen', zegt ze ernstig, want ze ziet haar huilende moeder in haar witte nachthemd en de omgekeerde wereld, de wereld op zijn kop, weer voor zich.

Rémi zwijgt. Het lijkt alsof hij zich ontzettend inspant om zich iets of iemand te herinneren. Wat zij heeft gezegd lijkt hem ver in het verleden terug te voeren; zijn gelaatsuitdrukking verandert. Ze heeft de indruk dat hij begint te huilen, maar hij huilt niet, in elk geval niet met tranen, wat Mathilde nog erger vindt.

Met een vreemd klein stemmetje antwoordt hij eenvoudig en onherroepelijk: 'Je hebt gelijk, Thilde, je hebt gelijk.'

Mathilde voelt haar tranen opkomen. De tamtam van haar hart slaat meer linksom dan rechtsom.

Ze zou willen dat Rémi glimlacht.

'Van wat aan mij hou je het meest?' vraagt ze zoals je iemand een reddingsboei toewerpt, ook al kan niemand die opvangen.

Rémi keert terug van zijn verre zwerftocht. Hij kijkt Mathilde in de ogen en antwoordt zonder te aarzelen: 'Dat je nooit bang bent, alleen maar een klein beetje.'

Hij lacht al zijn tanden min één bloot. Ze verwachtte dit antwoord niet. Ze dacht dat hij haar haar of haar ogen zou noemen.

Nu, nu moeten ze scheiden. Noodgedwongen. Terwijl ze naar elkaar glimlachen. Wat doen verliefden in zo'n geval? In een film kussen ze elkaar op de mond. Ja, maar zij?

Rémi is degene die beslist, beslissingen nemen is zijn specialiteit. Hij zegt niets. Hij verwijdert zich eenvoudig van haar zoals hij telkens doet als ze uit elkaar gaan. Mathilde, die het heeft begrepen, telt samen met Rémi: 'Een. Twee. Drie. Vier. Vijf. Zes. Zeven!'

Bij 'zeven' draait Rémi zich om en kijken ze elkaar opnieuw aan. Met een glimlach. Mathilde ziet nog het gaatje waar Rémi's tand ontbreekt, daar waar zij het roze puntje van haar tong in heeft gestoken.

Passer. Driehoek. Liniaal. Calqueerpapier. Carbonpapier. Millimeterpapier. Ze kijken naar elkaar alsof het de laatste keer is, behalve dat het deze keer werkelijk de laatste keer is.

M

athilde zit in de trein.

Mooi rechtop. Ze luistert naar het denderen van de wielen op de rails. Het denderen van de wielen is als het tromgeroffel, maar niet duizelingwekkend.

Een. Twee. Drie. Vier. Vijf. Zes. Zeven! Rémi draait zich om. En het denderen begint opnieuw.

Hoeveel duizenden, nee, miljarden keren moet ze zo nog tot zeven tellen voordat Rémi zich nogmaals omdraait en zij nogmaals het gaatje ziet waarin de tand ontbreekt?

Tegenover haar, aan de andere kant van het tafeltje waarop Mathilde haar koffertje met alle kostbare voorwerpen heeft neergezet, kijkt Céline tersluiks naar haar. Ze kijkt naar haar dochtertje, dat nogmaals en nogmaals telt.

'Wil je wat eten, lieverd?'

Nee, ze wil niet eten.

Om tot zeven te tellen en iemand te zien die er niet is, moet ze alleen maar daaraan denken. Ze moet zich niet laten afleiden door de vier hoekjes van een biscuitje. Blijven zitten. Mooi rechtop.

In haar koffertje zitten geen jurkjes meer: noch het witte noch het jurkje met de stippen. Opnieuw is er haar tekenmateriaal in opgeborgen, maar ook nog steeds de roze kei die Rémi met een ware doodsverachting in een waterkuil in de rivier voor haar heeft opgevist, de foto van haar grootmoeder en Félix in Sevilla en het kralensnoer, het kralensnoer met de schelp.

Op een dag, als ze grootmoeder is, als ze vrij is, kan Mathilde eindelijk vertrekken en zich hand in hand met Rémi op een café-terras in Italië laten fotograferen.

De andere foto, die van Rémi in zijn matrozenpakje op de geroeste melkbus te midden van de geiten, heeft ze in haar zak gestopt. Zo kan ze die, kan ze hém aanraken zo vaak ze maar wil.

Mathilde zit niet met haar voorhoofd tegen het raampje. Ze probeert niet het glas te beslaan.

Buiten trekt het geel zich terug en neemt het groen de overhand, ze weet het wel, maar ze wil het niet zien. Ze wil slechts Rémi zien die zich omdraait en naast de schommel onder de cederboom tegen haar glimlacht.

'Heb je het niet koud, lieverd?'

Ja, ze heeft het koud. Maar jammer genoeg heeft ze geen kippenvel, want kippenvel…

'Wil je op mijn schoot komen zitten?'

Nee, dat wil ze niet.

Liefkozingen, liefkozingen tegen de kou, tegen de zijdeachtige en geparfumeerde stof van de bloes aangeleund, zijn niet genoeg om tot zeven te tellen, en tegen een dergelijke kou kan geen enkele moeder iets ondernemen.

Daarna, omdat Mathilde een groot meisje is, blijft Céline maar praten over de grote school waar Mathilde voor het eerst heen gaat. Ze zou tegen haar moeder willen zeggen dat ze de grote school al kent, dat Rémi haar al vóór iedereen heeft meegenomen naar de school der groten.

Stel je voor dat ze zo groot is geworden dat 'hij' zijn dochtertje niet herkent...

Ze is waarschijnlijk mooi rechtop in slaap gevallen, want de trein mindert snelheid en Céline zegt dat ze niet ver meer van Parijs zijn. Deze keer kijkt Mathilde uit het raampje, met haar voorhoofd tegen het glas gedrukt. En daar ziet ze ze.

Langs de trein die aan de rand van de grijze stad voort dendert, geler dan het absolute geel, met hun levendige koppen naar haar toe gekeerd, staren duizenden zonnebloemen haar aan.

'Groeien hier zonnebloemen?' roept Mathilde naar adem snakkend uit.

'Natuurlijk. Natuurlijk, lieverd', antwoordt haar moeder. 'Zonnebloemen heb je overal!'

Noëlle Châtelet bij Uitgeverij De Geus

De dame in het blauw

Een drukbezette Parisienne kiest op 52-jarige leeftijd voor het ont-
haaste bestaan van de ouder wordende vrouw, en geniet met volle
teugen van haar nieuwe leven.

De mevrouw in het rood

Martha leidt een kleurloos leven als weduwe en oma, tot ze op een
dag kennismaakt met de oude, artistieke Félix. Op haar zeventigste
ontvangt Martha van hem de liefdesbrieven die ze als zeventienja-
rige had willen ontvangen. De liefde doet Martha ontluiken en
maakt haar leeftijdloos.